Alessandro De Giuli

GW00676512

Le preposizioni italiane

ALMA EDIZIONI FIRENZE

Introduzione

"Le preposizioni italiane" è rivolto agli insegnanti e agli studenti d'italiano sia principianti che di livello avanzato. In otto capitoli il libro analizza, descrive e spiega le principali regole grammaticali che governano l'uso delle preposizioni e propone centinaia di esercizi, giochi e attività pensati per comprendere e riutilizzare creativamente le regole studiate.

Come tutti sanno, l'utilizzo di due diverse preposizioni può dare alle frasi significati completamente diversi. È chiaro ad esempio, che nelle due frasi: "Vengo da Firenze" e "Vengo a Firenze" la sola sostituzione di "da" con "a" modifica completamente, fino a ribaltarlo, il significato della frase.

Accanto a questa "specificità" di significato è però interessante un'altra caratteristica delle preposizioni: l'assoluta mancanza di un significato univoco. Ogni preposizione può infatti svolgere molte funzioni e quindi cambiare di significato a seconda delle frasi in cui viene usata e della parola a cui è associata. Prendiamo la preposizione "a": per essa abbiamo rilevato almeno 16 funzioni diverse quali, ad esempio, l'introdurre *il tempo* (Vengo alle sette), *lo spazio* (Vengo a casa), *il modo di essere* (Pasta al sugo) ecc. Per una persona non madrelingua questa pluralità di significati può costituire un grosso ostacolo: può risultare problematico scegliere la preposizione adatta ad esprimere il significato desiderato o può essere difficile capire il particolare senso di una frase.

L'idea del libro è che si possa imparare ad usare le preposizioni proprio partendo dal significato delle frasi. Piuttosto che concentrarsi sulla forma (le nove preposizioni) ogni capitolo tematizza un particolare ambito funzionale (introdurre il tempo, lo spazio, le relazioni ecc.) e per ogni funzione indica le preposizioni pertinenti. In definitiva viene proposto un percorso che va dal significato alla regola, dalla definizione dell'obiettivo (ad esempio introdurre il tempo) all'individuazione degli strumenti adatti a raggiungerlo (la preposizione "in", ad esempio).

È importante notare, per evitare fraintendimenti, che i concetti utilizzati per quanto spesso si avvicinino molto ai complementi della tradizionale analisi logica, non sempre vi corrispondono completamente e anzi a volte se ne distaccano completamente.

Ogni capitolo del libro è diviso in tre parti nel seguente ordine:
* un indice degli argomenti dove sono riportate le singole regole e gli esempi d'uso. Questa parte può essere molto utile come sintesi e come strumento per trovare un orientamento nel

capitolo ma non dovrebbe essere presentata agli studenti come punto di partenza dello studio. Le regole e i gli esempi, se studiati al di fuori di un preciso percorso didattico, rischierebbero infatti di apparire troppo numerosi e/o difficili e in definitiva sterili.

- Una parte di attività che, partendo da un testo o da un'attività, fornisce agli studenti gli strumenti concettuali per capire e fissare autonomamente le regole. Questa sezione è naturalmente ricca di esercizi e i di giochi da svolgersi in classe per rinforzare e automatizzare l'uso e la pratica di quanto studiato.
- Una terza parte chiamata *Rivediamo tutto* dove viene ripassato quanto studiato nel capitolo mettendolo a confronto con i temi affrontati in precedenza.

In coda al libro le tavole riepilogative sintetizzano l'uso delle singole preposizioni in base alle funzioni che introducono.

Le regole dell'uso delle preposizioni sono sicuramente parecchie decine, per motivi pratici il libro non le esaurisce tutte. Sicuramente insegnanti e studenti troveranno casi di utilizzo di preposizioni non analizzati; per non appesantire troppo il libro, ci si è limitati ai casi di maggior frequenza d'uso evitando, dove possibile, un'analisi troppo particolareggiata delle sfumature.
A volte piuttosto che riportare una regola sintetica, che sarebbe risultata complicata e di difficile comprensione, si è preferito fornire gli elenchi dei nomi o dei verbi che richiedono una certa preposizione.

"Le proposizioni italiane" può essere usato sia in classe sia dallo studente in autoapprendimento. Per chi studia da solo si consiglia di seguire, almeno nei primi capitoli, l'ordine prefissato per aver modo di familiarizzare con il metodo e la struttura del libro. Al contrario, in classe, sotto la guida dell'insegnante, ogni singolo capitolo e ogni singolo argomento può essere affrontato come realtà separata in qualunque momento.

Nell'augurare buono studio ai lettori non posso dimenticare di ringraziare tutti coloro che hanno avuto la pazienza e la bontà di seguirmi e di aiutarmi nel lavoro: Giovanna Rizzo, Roberto Tartaglione, e Rosa De Simone. Un caldo grazie a Ciro Massimo Naddeo cui va senz'altro grande parte del merito di quanto fatto pur non essendo egli certamente responsabile degli errori e dei limiti del libro.

Alessandro De Giuli

Progetto grafico e impaginazione
Sergio Segoloni

Copertina
Thelma Alvarez Lobos

Illustrazioni
Luigi Critone

Impianti e stampa
La Cittadina, Azienda Grafica
Gianico (BS)
info@lacittadina.it
www.lacittadina.it

Copyright 2001 Alma Edizioni
Ultima ristampa: luglio 2008

ISBN 978-88-8644-027-1

Alma Edizioni
viale dei Cadorna, 44
50129 Firenze - Italia
Tel. +39 055 476644
Fax +39 055 473531
info@almaedizioni.it
www.almaedizioni.it

Capitolo 1
Le preposizioni

Cosa sono?

> **"DI", "A", "DA", "IN", "CON", "SU", "PER", "TRA"** e **"FRA"*** sono **PREPOSIZIONI SEMPLICI**.
>
> Senza le preposizioni non si capisce l'italiano. ➔ Vado Roma un **amico**.
> Con le preposizioni le frasi diventano chiare. ➔ Vado **a** Roma **con** un amico.
>
> *tra e fra hanno sempre lo stesso significato.

Con chi stanno?

> Le preposizioni con l'articolo si chiamano **PREPOSIZIONI ARTICOLATE**.
>
> **"DI"**, **"A"**, **"DA"**, **"SU"** e **"IN"** formano una sola parola con l'articolo. ➔ Dove sono le chiavi **del** (di+il) garage?
>
> **"PER"**, **"TRA"** e **"FRA"** non si uniscono mai all'articolo. ➔ Mi piace girare **per i** negozi.
>
> La preposizione **"CON"** può:
> formare una sola parola ➔ Parlo **col** professore di storia.
> o restare separata dall'articolo. ➔ Parlo **con il** professore di storia.

Rivediamo tutto

Cosa sono?
Cosa sono le preposizioni semplici

1)   Leggi la regola.

> "DI","A","DA","IN","CON","SU","PER", "TRA" e "FRA"* sono PREPOSIZIONI SEMPLICI.
>
> Senza le preposizioni non si capisce l'italiano.   →   Vado Roma un amico.
>
> Con le preposizioni le frasi diventano chiare.   →   Vado **a** Roma **con** un amico.
>
> *tra e fra hanno sempre lo stesso significato.

2.1)   Leggi il testo e poi trova tutte le preposizioni.

Sorano è un paesino di 3000 persone.
Per capire dov'è Sorano, prova a guardare
su questa carta geografica.
Sorano è in Toscana, tra Roma e Siena.
Da Sorano a Roma ci sono 150 Km,
da Sorano a Siena ce ne sono 40.
Maria abita in questo paese
con suo marito Mario e con i suoi tre figli:
Antonia, Federica e Giacomo.

2.2)   Completa con le preposizioni.

Sorano è un paesino _____ 3000 persone.
_____ capire dov'è Sorano, prova a guardare _____ questa carta geografica.
Sorano è _____ Toscana, _____ Roma e Siena.
_____ Sorano _____ Roma ci sono 150 Km, _____ Sorano _____ Siena ce ne sono 40.
Maria abita _____ questo paese _____ suo marito Mario e _____ i suoi tre figli:
Antonia, Federica e Giacomo.

3)   Quali sono le preposizioni semplici in italiano? Completa la tabella.

DI			IN				TRA	

4)   **Guarda i disegni e poi collega le frasi come nell'esempio.**

1. Luca viene

2. Giacomo va

3. Maria è

4. Grace parte

5. Amin vive

6. Mario è

7. Monica abita

a. **con** Nadia.

b. **a** Siena.

c. **a** Klagenfurt.

d. **da** Napoli.

e. **in** casa.

f. **per** Londra.

g. **di** Sorano.

Con chi stanno?
Le preposizioni articolate

5) **Leggi la regola.**

Le preposizioni con l'articolo si chiamano **PREPOSIZIONI ARTICOLATE.**

"DI", **"A"**, **"DA"**, **"SU"** e **"IN"** formano una sola parola con l'articolo. → Dove sono le chiavi **del** (di+il) garage?

"PER", **"TRA"** e **"FRA"** non si uniscono mai all'articolo. → Mi piace girare **per i** negozi.

La preposizione **"CON"** può:
formare una sola parola → Parlo **col** professore di storia.
o restare separata dall'articolo. → Parlo **con il** professore di storia.

6) **Trova nelle frasi la preposizione articolata, poi indica l'articolo che la forma, come negli esempi.**

FRASE	Proposizione semplice	Articolo
1. Sorano è un paese **della** Toscana.	di	la
2. Guarda sulla carta geografica.	su	
3. Dalla capitale a Sorano ci sono 150 km.	da	
4. Nel paese ci sono 3000 abitanti.	in	
5. Maria lavora **alle** scuole elementari.	a	le
6. Mi piacciono molto i campioni dello sport.	di	
7. Vengo dalla Germania.	da	
8. Guardo un film alla televisione.	a	
9. I libri dei miei figli hanno molti colori.	di	
10. Mario è arrivato oggi dall'America.	da	
11. Mi piace molto il colore degli occhi di Marta.	di	

7.1) Leggi.

Un libro

Alla libreria di via Cavour a Firenze, Giacomo incontra Gianni:
- Ciao Gianni, cosa fai qui?
- Sto guardando questo libro.
Giacomo legge il titolo: "Gli alieni arrivano dallo spazio".
- Bello - dice, mentre apre la prima pagina.
- Parla dell'avventura di una nave spaziale - spiega Gianni. - Gli alieni stanno viaggiando da più di 200 anni...
- 200 anni?
- Sì. Ma nella nave spaziale non c'è più niente da mangiare e allora gli alieni cercano di venire sulla Terra.

- Interessante, ma tu ci credi agli alieni?
- Io no - dice Gianni. Ma in quel momento si vede una luce fortissima nel centro della libreria. Un uomo con la testa di coccodrillo comincia a gridare.
Sono arrivati gli alieni!!!

7.2) Completa le frasi con le preposizioni della lista.

SULLA	DALLO	DELLA	DELL'	ALLA	NEL	CON LA

1. Dove sono Giacomo e Gianni? _____ libreria di via Cavour.
2. Qual è il titolo del libro? Gli alieni arrivano _____ spazio.
3. Di cosa parla il libro? _____ avventura di una nave spaziale.
4. Dove vogliono andare gli alieni? _____ Terra.
5. Dov'è la luce fortissima? _____ centro _____ libreria
6. Com'è l'alieno? È un uomo _____ testa di coccodrillo.

7.3) Completa le frasi e indica quali articoli usi nelle preposizioni articolate come nell'esempio.

Es: *Gianni e Giacomo sono **alla** libreria.* (*a + la*)

1. Il titolo del libro è "Gli alieni arrivano _____ spazio".
2. Giacomo apre la prima pagina _____ libro.
3. Il libro parla _____ avventura di una nave spaziale.
4. _____ nave spaziale non c'è più niente da mangiare.
5. Gli alieni cercano di venire _____ Terra.
6. Gianni non crede _____ alieni.
7. La luce è _____ centro _____ libreria.
8. L'alieno è un uomo _____ testa di coccodrillo.

9

8) Completa con le preposizioni articolate come nell'esempio.

Sorano è un paese (di + la) **della** Toscana. Guardate (su + la) _____ carta geografica: (da + la) _____ capitale al paese ci sono 150 km. (in + il) _____ paese ci
sono 3000 abitanti. Maria è un'insegnante e lavora (a + le)_____ scuole elementari.

9) Ora completa la tabella di tutte le preposizioni articolate.

	Maschile					Femminile		
	Singolare			**Plurale**		**Singolare**		**Plurale**
	IL il libro	LO lo spazio	L' l'aereo	I i libri	GLI gli spazi	LA la nave	L' l'acqua	LE le navi
DI	del		dell'			della		
A		allo		ai				alle
DA	dal				dagli		dall'	
IN		nello				nella		nelle
SU		sullo				sulla		
PER	per il		per l'					per le
CON				con i			con l'	
TRA		tra lo	tra l'			tra la		
FRA								

10) Inserisci la preposizione articolata (tra parentesi la preposizione semplice).

Giacomo parla (a) _____ telefono (con)_____ _____ suo amico Giovanni:
- Allora, che fai?
- Sto andando (a) _____ bar a prendere un caffè. E tu?
- Io devo andare a casa (di) _____ mio amico Luca. Dice che ha una bottiglia di vino bianco
(in) _____ frigorifero... Ti va di venire?
- Va bene, se è (per) _____ _____ vino bianco, vengo anch'io. Dove abita Luca?
- Vicino (a) _____ stazione, è il palazzo di fronte (a) _____ cinema, (su) _____ sinistra.

11) Metti al plurale le preposizioni articolate e i nomi che li seguono.

Molti prendono il caffè **nel** bar.	Molti prendono il caffè **nei** bar.
Giacomo parla **con il** suo amico.	1.
La vita **dello** studente è bella.	2.
Il mio gatto vive **sul** tetto.	3.
Sto parlando **al** ragazzo del bar.	4.
Andiamo al cinema **con la** bicicletta.	5.
Devo togliere la polvere **dallo** stivale.	6.
Lou legge un libro **sullo** gnomo **del** bosco.	7.

12) Fai le parole crociate.

ORIZZONTALI →

1 - Gli alieni arrivano _____ spazio.
6 - Gli alieni vivono _____ spazio.
7 - Pisa.
8 - Luigi Tenco.
9 - Una parte di 6.
10 - ____ uomini vivono sulla Terra.
11 - Maestro indiano.
13 - La fine di Mao.
14 - Con + lo.
15 - ____ ____ "zero" e il "due"
    c'è il numero"uno".
16 - Il telefono è ____ __ specchio e l'armadio.
18 -Tu (sapere) _____ l'italiano?
19 - La preposizione semplice
    che vuol dire "sopra".
20 - Aiuto!
21 - ____ zio di Marco piacciono le mele.

VERTICALI ↓

1 - Alla fine _____ spettacolo siamo
    andati a casa.
2 - Il contrario di "bassi".
3 - Io mangio a...'una e trenta.
4 - L'articolo in "nello".
5 - Milano.

7 - Non sono potuto partire ____ ____
    sciopero dei treni.
9 - Vuol dire "sopra lo".
10 - L'ossigeno è un _____
11 - Un punto nello sport del calcio.
12 - Come si chiama il t... amico?
14 - Centro Regionale Automobilistico.
15 - Dopo il bis.
16 - Fondo Alimentazione ONU.
17 - Mio, tuo, ____, nostro, vostro, loro.
18 - La polizia nazista.
19 - Le consonanti in "sullo".

13.1) Scegli la preposizione articolata corretta.

1. Il libro parla DEL/DELL'/DELLA avventura di una nave spaziale.
2. Salgo SULL'/SUL/SULLO aereo.
3. Mario è NELL'/NELLA/NELLE acqua.
4. Vado al bar CON LO/ CON LA/ CON L' amica di Francesca.
5. Un famoso canto di Dante parla DELL'/DELLA/DEL amore di Paolo e Francesca.
6. Giotto è un grande maestro DEL/ DELL'/DELLO arte italiana.
7. Stanotte dormo AL/ALL'/ALLO albergo di via Torino.

11

13.2) Quali preposizioni articolate si usano davanti ai nomi singolari che iniziano con una vocale?

14.1) Ora metti al plurale le preposizioni articolate e i nomi che le seguono, come negli esempi.

Vado al bar **con l'**amico di Francesca. Vado al bar **con gli** amici di Francesca.	Vado al bar **con l'**amica di Francesca. Vado al bar **con le** amiche di Francesca.
Viaggio **sull'**aereo dell'Alitalia 1. Viaggio _____ _____	Il libro parla **dell'**avventura di una nave. a. Il libro parla _____ _____
Molti parlano **dell'**amore di Diana. 2. Molti parlano _____ _____	I pesci vivono **nell'**acqua dei fiumi. b. I pesci vivono _____ _____
Sull'albero ci sono le mele. 3. _____ _____ ci sono le mele.	I cattolici pregano **per l'**anima dei morti. c. I cattolici pregano _____ _____

14.2) Guarda le due colonne dell'esercizio 14.1. Che differenza c'è tra le frasi di destra e quelle di sinistra?

Rivediamo tutto
Esercizi di ricapitolazione

15) Unisci le frasi.

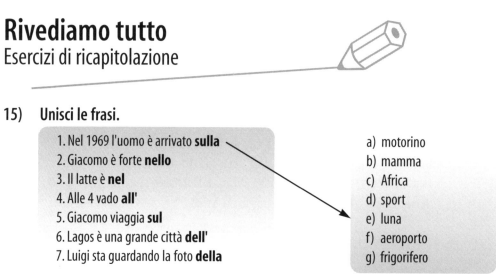

1. Nel 1969 l'uomo è arrivato **sulla**	a) motorino
2. Giacomo è forte **nello**	b) mamma
3. Il latte è **nel**	c) Africa
4. Alle 4 vado **all'**	d) sport
5. Giacomo viaggia **sul**	e) luna
6. Lagos è una grande città **dell'**	f) aeroporto
7. Luigi sta guardando la foto **della**	g) frigorifero

16) **Scegli la preposizione giusta.**

    1. La camicia DEL/DELL'/DELLO avvocato è bianca.
    2. Il libro DEL/DELL'/DELLO studente ha 200 pagine.
    3. Il latte è NELLO/NEL/NELL' frigorifero.
    4. Paolo e Marta arrivano ALLO/ALL'/AL aeroporto alle due.
    5. Giacomo va ALLO/AL/ALL' cinema.
    6. Il sapore DELLA/DELL'/DEL mare è salato.
    7. Questo libro è DELL'/DELLO/DEL amico di Giacomo.

17) **Completa con le preposizioni articolate (la preposizione semplice è tra parentesi).**

    1. (Su) _____ luna non c'è acqua.
    2. (Su) _____ lune di Giove forse c'è l'acqua.
    3. - Hai messo lo zucchero (in) _____ cappuccino?
    4. - Hai messo lo zucchero (in) _____ cappuccini ?
    5. Giacomo si guarda (a) _____ specchio.
    6. Giovanni è bravo (in) _____ sport invernali.
    7. Il telefonino (di) _____ amico di Giovanni è un Motorola.
    8. I computer (di) _____ amici di Giovanni sono molto veloci.

18) **Gioco a squadre. La classe è divisa in due. Lo scopo del gioco è di indicare la preposizione articolata corretta per le parole dello schema qui sotto. A turno le squadre fanno agli avversari una domanda come:**

    Es.: "La preposizione articolata DI e libro". Chi risponde bene prende un punto.

	libro	specchio	ragazze	ora	chiesa	stivali
DI						
A						
DA						
IN						
CON						
SU						
PER						
TRA/FRA						

Capitolo 2
Lo spazio (prima parte)

Da dove vieni?
Le preposizioni che indicano il posto da cui si viene.

pag. 15

1) Per indicare il posto di partenza, di origine, il luogo da cui qualcuno parte o viene si usa normalmente la preposizione **"DA"**.	→	Vengo **da** Milano.
2) Con il verbo essere, la città da cui si viene è introdotta dalla preposizione **"DI"**.	→	Io sono **di** Milano.

Dove abiti?
Le preposizioni che indicano il luogo geografico dove si è (o si va).

pag. 18

Per indicare il posto dove qualcuno è o va si usano:

1) la preposizione **"A"** quando il posto è una città.	→	Nelson abita **a** Johannesburg. Luca va **a** Roma.
2) la preposizione **"IN"** quando il posto è una località geografica ma non è una città.	→	Nelson abita **in** Africa. Luca va **in** Francia.

Da chi vai?
Le preposizioni che indicano la persona da cui si va.

pag. 20

Per indicare la persona dove qualcuno va (o sta) si usa la preposizione **"DA"**.	→	Questa sera dormo **da** te. Maria va **da** Paolo a studiare.

Rivediamo tutto
Esercizi di ricapitolazione.

pag. 22

Da dove vieni?

Le preposizioni che indicano il posto da cui si si viene.

1.1) Quiz. Rispondi alle domande.

1) Da che città veniva Marco Polo?
a. Da Venezia. ☐
b. Da Napoli. ☐
c. Da Firenze. ☐

2) Da che lingua viene la parola "camicia"?
a. Dall'arabo. ☐
b. Dal latino. ☐
c. Dal greco. ☐

3) Da dove è partito Cristoforo Colombo per arrivare in America?
a. Dalla Spagna. ☐
b. Dall'Italia. ☐
c. Dal Portogallo. ☐

4) Da che Paese ha origine la parola "democrazia"?
a. Dall'Inghilterra. ☐
b. Dagli Stati Uniti. ☐
c. Dalla Grecia. ☐

5) Da dove è arrivata la patata?
a. Dalla Cina. ☐
b. Dal Sud America. ☐
c. Dalla Russia. ☐

6) Da dove nasce il fiume Nilo?
a. Dal lago Alberto. ☐
b. Dal lago Balkan. ☐
c. Dal lago Vittoria. ☐

1.2) Rileggi le domande del quiz. Cosa introduce la preposizione "DA"?

2) Scrivi tu la regola.

> Per indicare il posto di partenza, di origine, il luogo da cui qualcuno parte o viene si usa normalmente la preposizione ☐. → Vengo ☐ Milano.

3) Completa le frasi (attento alle preposizioni articolate).

1. Marco Polo veniva _____ Venezia.
2. La parola "camicia" viene _____ arabo.
3. Cristoforo Colombo è partito _____ Spagna.
4. La parola "democrazia" viene _____ greco.
5. La patata è arrivata _____ Sud America.
6. Il Nilo nasce _____ lago Vittoria.

4) In queste frasi ci sono due preposizioni sbagliate. Trovale e correggile.

    1. Vengo di Germania.   _____

    2. Lena arriva da Amsterdam.   _____

    3. Sono arrivato ieri dall'Inghilterra.   _____

    4. Nicos e Petra sono partiti di Grecia un mese fa.   _____

5) Intervista un tuo compagno: prendi informazioni sulle sue origini, sui suoi genitori e sui suoi parenti stretti. Poi riferisci a un secondo compagno quello che ti ha detto.

6) Gioco a squadre. La classe viene divisa in due squadre. A turno una squadra fa una domanda sull'origine e su cosa facevano o fanno i personaggi della lista. Chi indovina l'origine prende un punto, chi indovina cosa facevano o fanno i personaggi prende un altro punto.

    Es.:   *- Da dove veniva Einstein?*   *- Dalla Germania!*

           - Cosa faceva?   *- Lo scienziato!*

Lista dei personaggi:

Giulio Cesare, Leonardo Da Vinci, Leonardo Di Caprio, Stan Laurel e Oliver Hardy, Josif Stalin, Luigi XIV, Gheddafi, Woityla, Lou Reed, Schumacher, Maradona, Van Gogh.

7.1) Completa la colonna B come nell'esempio.

COLONNA A	COLONNA B
Maria viene da Madrid.	Maria è di Madrid.
Pernille viene da Copenaghen.	1. Pernille è _____ Copenaghen.
David viene da Tel Aviv.	2. David è _____ Tel Aviv.
Jim e Ted vengono da New York.	3. _____
Loro vengono da Brasilia.	4. _____
Voi venite da Parigi?	5. _____
Da dove venite?	6. _____ dove siete?

7.2) Che verbo è usato nelle frasi della colonna B?

7.3) <u>Con il verbo essere</u>, quale preposizione è usata per indicare la città da cui si viene?

8) **Scrivi tu la regola.**

Con il verbo essere, la città da cui si viene,
è introdotta dalla preposizione ☐ .   →   Io sono ☐ Roma.

9) **Completa le frasi con la preposizione giusta.**

1. Vengo _____ Berlino.
2. Sono _____ Italia da un mese.
3. Sono _____ Berlino.
4. _____ dove venite?
5. Siamo _____ Bologna.

6. _____ dove siete?
7. Veniamo _____ Venezia.
8. Sono arrivato ieri _____ Roma.
9. Sei _____ Roma?
10. No, vengo _____ Napoli.

10) **Fai delle frasi come nell'esempio.**

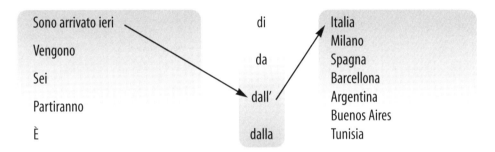

Sono arrivato ieri	di	Italia
Vengono	da	Milano
Sei		Spagna
Partiranno	dall'	Barcellona
È	dalla	Argentina
		Buenos Aires
		Tunisia

17

Dove abiti?

Le preposizioni che indicano il luogo geografico dove si è (o si va).

11) Leggi queste frasi e cerca di capire perché, per indicare il luogo, nella colonna di sinistra è usata le preposizione "A" e nella colonna di destra la preposizione "IN".

COLONNA SINISTRA

Mario abita **a** Sorano.
Francesca sta andando **a** Pisa.
Oggi Laura e Antonia sono **a** Berlino.
A Roma vivono tre milioni di persone.

COLONNA DESTRA

Mario abita **in** Italia.
Giovanni sta volando **in** Russia.
Oggi Laura e Antonia sono **in** Germania.
Parigi e Londra sono **in** Europa, Tunisi **in** Africa.

12) Scrivi tu la regola.

Per indicare il posto dove qualcuno è (o va) si usano:

1) la preposizione ☐ quando il posto è il nome di una città.　→　Nelson abita ☐ Johannesburg.
Luca va ☐ Roma.

2) la preposizione ☐ quando il posto è una località geografica ma non è una città.　→　Nelson abita ☐ Africa.
Luca va ☐ Francia.

13) Completa con le preposizioni.

1. Abito _____ Milano.
2. Sono _____ Italia da un mese.
3. Vivo _____ Africa perché mi piace il caldo.
4. Non sono mai andato _____ Asia.
5. Da quanto tempo stai _____ Firenze?
6. _____ Inghilterra piove molto di più che _____ Italia.
7. _____ Spagna vivono 40 milioni di persone, _____ Italia 58 e _____ Francia 60.
8. _____ Berlino ci sono 3,5 milioni di abitanti, _____ Roma due milioni e mezzo e _____ Parigi?
9. _____ Parigi ce ne sono 3 milioni.

14) Come si chiamano gli abitanti di...? Completa la colonna sinistra con le preposizioni "IN", "DA" o "A", poi collega le frasi con la colonna destra.

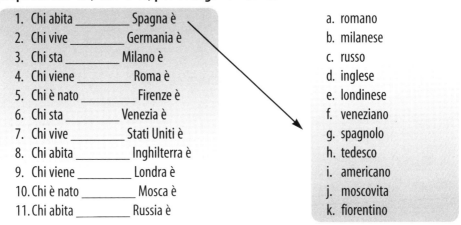

1. Chi abita _____ Spagna è
2. Chi vive _____ Germania è
3. Chi sta _____ Milano è
4. Chi viene _____ Roma è
5. Chi è nato _____ Firenze è
6. Chi sta _____ Venezia è
7. Chi vive _____ Stati Uniti è
8. Chi abita _____ Inghilterra è
9. Chi viene _____ Londra è
10. Chi è nato _____ Mosca è
11. Chi abita _____ Russia è

a. romano
b. milanese
c. russo
d. inglese
e. londinese
f. veneziano
g. spagnolo
h. tedesco
i. americano
j. moscovita
k. fiorentino

15) Fai delle frasi, come nell'esempio.

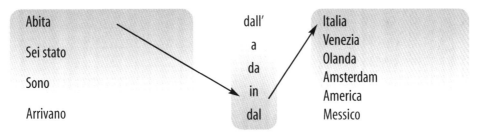

Abita

Sei stato

Sono

Arrivano

dall'
a
da
in
dal

Italia
Venezia
Olanda
Amsterdam
America
Messico

Da chi vai?
Le preposizioni che indicano la persona da cui si va.

16.1) Leggi.

Una telefonata

Antonia telefona a Francesca.
- Ciao Francesca, come va?
- Bene e tu?
- Io sono a casa ma non ho voglia di studiare. Posso venire da te?
- Ma, veramente io pensavo di andare da Marco.
- Vai da Marco? Allora vengo anch'io...
- Va bene, allora ci vediamo da lui fra una mezz'ora.
- Ok, a dopo.

16.2) Rispondi alle domande.

1. Dove vuole andare Antonia?   _____
2. Dove vuole andare Francesca?   _____
3. Dove andranno Antonia e Francesca?   _____

16.3) Quale preposizione è usata per indicare dove vanno Francesca e Antonia?

17) Scrivi tu la regola.

Per indicare la persona dove qualcuno va (o sta) si usa la preposizione ☐. → Questa sera dormo ☐ te.
Maria va ☐ Paolo a studiare.

18) Completa questo dialogo tra Maria e Mario.

Mario - Dov'è Antonia?
Maria - _____ Francesca.
Mario - E Federica?
Maria - _____ fruttivendolo, per comprare qualche arancia.
Mario - E Giacomo dov'è?
Maria - Lo sai, è _____ suo amico a Siena.

19) **Inserisci i nomi della lista nel contenitore giusto, come nell'esempio**
(attento alle preposizioni articolate).

avvocato
dentista
città
Roma
Italia
Germania
fornaio
tabaccaio
farmacista
Mario
mia nonna
Berlino
meccanico

1. Devo andare (da)	2. Devo andare (in)	3. Devo andare (a)
dall'avvocato		
_____		
_____	_____	
_____		_____
_____	_____	
_____		_____
_____	_____	
_____		

Rivediamo tutto
Esercizi di ricapitolazione

20) Scegli la preposizione giusta.

1. Marco è IN/A/DA Milano.
2. Marco è A/IN/DA Germania.
3. Marco è IN/A/DA Paolo.
4. Michel è DA/DI/IN Parigi.
5. Domani, vado IN/A/DA America.
6. Lea sta andando IN/A/DA Roma.
7. Chen Li è DA/DI/IN Hong Kong.
8. Sono arrivato ieri IN/DI/DA Pisa.
9. Esco, vado IN/A/DA Luisa.

21) Rispondi alle domande utilizzando le parole della lista.

1. Dove stai andando? *(America, Messico, mio amico, Oslo, Caterina)*
2. Dove sono Mario e Lucia? *(Brasile, prete, Rosa, Roma)*

22) Scegli la preposizione giusta.

Rosa   - DA/A/IN dove arrivi?

Marco - DA/A/IN Montreal DA/A/IN Canada.

Rosa   - Quanto ci sei stato?

Marco - Due mesi.

Rosa   - E lì dove stavi?

Marco - DA/A/IN un mio amico che lavora là da due anni.

Rosa   - È stata una bella vacanza?

Marco - Bellissima.

23) In questo dialogo ci sono 3 errori. Trovali e correggili.

1. - Da dove vieni?
2. - Di Inghilterra.
3. - Da quale città?
4. - In Londra.
5. - E qui dove abiti?
6. - A Sorano.
7. - Hai una casa per te?
8. - No, abito a mio zio.

Capitolo 3
Lo spazio (seconda parte)

Ripetiamo
Riassunto della prima parte.

Sono al bar/Sono in autostrada
Le preposizioni che indicano il posto in cui si è (o si va).

Per indicare dove qualcuno (o qualcosa) è (o va) si usano normalmente
le preposizioni **"IN"**, **"A"** e **"DA"**.

1) La preposizione **"IN"** è usata:
- quando il posto è un Paese o un continente
  o una regione (Lombardia, Toscana ecc.)   → Mario è (va) **in** Italia.
- e inoltre con uno dei nomi della lista A a pag. 27.   → Mario è (va) **in** casa.

2) La preposizione **"A"** è usata:
- quando il posto è una città   → Mario è (va) **a** Roma.
- e inoltre con uno dei nomi della lista B a pag. 27.   → Mario è (va) **al** bar.

3) La preposizione **"DA"** è usata:
- quando il "posto" è una persona   → Federica è (va) **da** Carla.
  (vedi anche la lista C a pag. 27).   → Federica è (va) **dal** meccanico.

Vado a ballare
Le preposizioni di luogo davanti ai verbi all'infinito.

Davanti ai verbi all'infinito, per indicare
il posto dove qualcuno è (abita, vive)   →   Vado **a** giocare a pallone!
o dove va, è usata la preposizione **"A"**.

Per capire meglio
Esercizi di ricapitolazione.

Altri posti
Altre preposizioni per indicare il luogo.

pag. 35

Per indicare il posto dove qualcuno (o qualcosa) è (o va) si possono usare anche:

1) La preposizione **"TRA"** / **"FRA"** (= in mezzo). → Antonia è seduta **tra** i libri.
2) La preposizione **"PER"**. → Sono seduto **per** terra.
3) La preposizione **"SU"** (= sopra). → Antonia è seduta **sulla** panchina.

Per indicare il posto dove qualcuno va, prima delle parole "qui","qua","là" e "lì" si può usare

la preposizione **"DI"**. → Marco è **di** là *(Marco è nell'altra stanza).*
Marco è **di** qua *(Marco è in questa stanza , diversa da quella dove sei tu).*

Per indicare il posto dove qualcuno va, <u>dopo il verbo "partire"</u> si usa

la preposizione **"PER"**. → Parto **per** Milano con il treno delle 10.

Per introdurre il luogo attraverso il quale si passa si usano le preposizioni:

"PER" → Federica è passata **per la** camera dei suoi genitori.
e, a volte, **"DA"**. → Federica è passata **dalla** camera dei suoi genitori.

Per indicare lo spazio che manca per arrivare ad un determinato posto si usano le preposizioni:

"TRA" o **"FRA"** → **Fra** 10 km siamo arrivati.
e **"A"**. → Roma è **a** 25 km da qui.

Dopo le parole "vicino","davanti","dietro","sopra"
e "sotto" si usa sempre la preposizione **"A"**. → Marco è davanti **a** me.

Ripetiamo
Riassunto della prima parte

1) **Ricordi con quale preposizione si indica l'origine? Completa la regola.**

1) Per indicare il posto di partenza, di origine,
   il luogo da cui qualcuno parte o viene   →   Vengo ☐ Milano.
   si usa normalmente la preposizione ☐.

2) Con il verbo essere, la città da cui
   si viene è introdotta dalla preposizione ☐.   →   Io sono ☐ Milano.

2) **Ricordi con quale preposizione si indica il luogo geografico dove si è (o si va)?**
   Completa la regola.

Per indicare il posto dove qualcuno è (o va) si usano:

1) la preposizione ☐ quando il posto   →   Nelson abita ☐ Johannesburg.
   è il nome di una città.   Luca va ☐ Roma.

2) la preposizione ☐ quando il posto   →   Nelson abita ☐ Africa.
   è una località geografica ma non è una città.   Luca va ☐ Francia.

3) **Ricordi con quale preposizione si indica la persona da cui si va (o si sta)?**
   Completa la regola.

Per indicare la persona dove qualcuno   →   Questa sera dormo ☐ te.
va (o sta) si usa la preposizione ☐.   Maria va ☐ Paolo a studiare.

Sono al bar/Sono in autostrada
Le preposizioni che indicano il posto in cui si è (o si va).

4.1) **Leggi questo dialogo.**

Una telefonata

Stamattina Mario è andato a Milano. Ora sta tornando a Sorano. A Firenze si ferma per telefonare a Maria.

- Pronto Maria? Ciao, sono Mario.
- Ciao, dove sei?
- Sono in un bar a Firenze.
- Com'è andato il viaggio?
- Bene. Stamattina ho trovato un po' di traffico

in autostrada ma sono arrivato a Milano prima delle 10.

- Quando torni?
- Arrivo prima di cena. Tu come stai?
- Bene, grazie.
- E le ragazze?
- Antonia è andata in palestra, Federica è da Francesca. Sono sola in casa.
- Va bene amore, ci vediamo fra un po'.

4.2) **Trova nel testo tutte le preposizioni che indicano il posto dove Mario, Maria, Antonia e Federica sono (o vanno).**

4.3) **Completa le frasi.**

1. Mario è _____ un bar _____ Firenze.
2. _____ autostrada, questa mattina c'era un po' di traffico.
3. Mario è arrivato _____ Milano prima delle 10.
4. Antonia è andata _____ palestra.
5. Federica è _____ Francesca.
6. Maria è sola _____ casa.

5) **Leggi la regola.**

Per indicare dove qualcuno (o qualcosa) è (o va) si usano normalmente le preposizioni **"IN"**, **"A"** e **"DA"**.

1) La preposizione **"IN"** è usata:
   - quando il posto è un Paese o un continente o una regione (Lombardia, Toscana)   → Mario è (va) **in** Italia.
   - e inoltre con uno dei nomi della lista A a pag. 27.   → Mario è (va) **in** casa.

2) La preposizione **"A"** è usata:
   - quando il posto è una città   → Mario è (va) **a** Roma.
   - e inoltre con uno dei nomi della lista B a pag. 27.   → Mario è (va) **al** bar.

3) La preposizione **"DA"** è usata:
   - quando il "posto" è una persona (vedi anche la lista C a pag. 27).   → Federica è (va) **da** Carla.
   → Federica è (va) **dal** meccanico.

LISTA A

Vado, sto, sono, ecc.
IN

LA CASA

in casa
in bagno
in sala
in cucina
in giardino
in camera

LA CITTÀ

in città
in paese
in autobus
in metropolitana
in macchina
in piazza
in negozio
in banca
in fabbrica
in strada
in ufficio
in ospedale
in trattoria *
in birreria *
in macelleria *
in salumeria *
in panetteria *

LA VACANZA

in vacanza
in montagna
in campagna
in barca
in discoteca
in tenda

LISTA B

Vado, sto, sono, ecc.
A

LA CASA

a casa
a letto

PER MANGIARE

a cena
a pranzo
a colazione
al ristorante

LA CITTÀ

al caffè
al supermercato
al mercato
al bar
a scuola
al cinema
al parco
a teatro

LA VACANZA

all'estero
al mare
alla stazione
all'aeroporto
al porto

LISTA C

Vado, sto, sono, ecc.
DA

LE PERSONE

da Marco, da Giada, da Rita
da me
da te
da lei
da lui
da noi
da voi
da loro
dal barbiere
dal meccanico
dal sindaco
dalla mamma
dallo zio
dal mio amico
dalla sarta
ecc.

* Con i nomi che finiscono con **"ia"** (trattor**ia**, birrer**ia**, farmac**ia**, ecc.) per indicare il luogo in cui si va (o si è) si usa la preposizione **"IN"**.

Es.: Sono **in** birrer**ia** (**in** trattor**ia**, **in** farmac**ia**, **in** salumer**ia**).

6) Completa le frasi.

1. Qui _____ discoteca mi diverto.
2. Qui _____ bar mi diverto.
3. Qui _____ te mi diverto.
4. _____ macchina fa molto caldo.
5. _____ cinema fa molto caldo.
6. _____ Rosa fa molto caldo.
7. _____ autobus ci sono molte persone
8. _____ ristorante ci sono molti turisti.
9. _____ meccanico ci sono le macchine rotte.

7) Completa le frasi.

1. _____ negozio si fa la spesa.
2. _____ mercato si fa la spesa.
3. _____ fornaio si compra il pane.
4. _____ mia città ci sono molti musei.
5. _____ estero ci sono molti parchi.
6. _____ mio amico ci sono molte persone.
7. Mario è _____ Italia.
8. Mario è _____ Roma.
9. Mario è _____ Francesca.

8) Completa le frasi.

1. Vado _____ Germania.
2. Vado _____ Berlino.
3. Vado _____ lei.
4. I miei amici sono _____ palestra.
5. I miei amici sono _____ mare.
6. I miei amici sono _____ Jacques.
7. Quando andate _____ campagna?
8. Quando andate _____ letto?
9. Quando venite _____ me?

9) Rispondi a queste domande.

Es.: Dove abiti?   *A Milano.*

1. Dove si va a ballare? _____
2. Dove si va a fare la spesa? _____
3. Dove abitano i francesi? _____
4. Dove si prende il cappuccino in Italia? _____
5. In che città abita il papa? _____
6. Dove si va per prendere il sole e fare il bagno? _____
7. Dove si va quando si vuole dormire? _____
8. Dove si porta la macchina rotta? _____
9. Dove si compra il pane? _____

Stasera mi diverto.

10) **Rispondi alle domande utilizzando tutti i nomi della lista.**

Es. Dove sei? Sono... (bar, ristorante, pizzeria, teatro, cinema, discoteca)

Sono **al** bar.	Sono **al** ristorante.	Sono **in** pizzeria.
Sono **a** teatro.	Sono **al** cinema.	Sono **in** discoteca.

1. Cosa fai oggi? Vado ... (negozio, banca, piazza, supermercato)
2. Dov'era Milena ieri sera? Era ... (ospedale, trattoria, parco, paese)
3. Dove vanno i tuoi amici? Vanno ... (fabbrica, scuola, ufficio, città, mercato)

Vado in vacanza.

11) **Scegli la preposizione giusta.**

Es. Dove sei? Sono AL/~~IN~~ mare.   3.   Sono AL/IN campagna.
1. Sono AL/IN montagna.   4.   Sono ALL'/NELL' estero.
2. Sono AL/IN città.   5.   Sono ALL'/IN Italia.

12) **Inserisci la preposizione giusta.**

Dove vai in vacanza?	Dove abiti?	Dove sei stato ieri?
1._____ mare.	6._____ Berlino.	12._____ barbiere.
2._____ montagna.	7.____ Toscana.	13.____ casa.
3._____ città.	8._____ campagna.	14._____ discoteca.
4._____ campagna.	9._____ paese.	15._____ zia Maria.
5._____ estero.	10._____ porto.	16._____ stazione.
	11._____ Italia.	

La casa.

13) **Inserisci le parole della lista nella colonna giusta.**

pranzo	cena	bagno	camera	sala	cucina	casa

Marco e Patriza sono **a**   Marco e Patriza sono **in**

_____   _____

_____   _____

_____   _____

_____   _____

La città.

14) **Marco è a Milano.** Segui il suo percorso sulla piantina della città e per ogni luogo scegli la preposizione giusta. Per ogni preposizione è indicata tra parentesi una lettera. Scrivi la lettera nei quadrati in fondo alla pagina. Alla fine saprai se sei stato bravo.

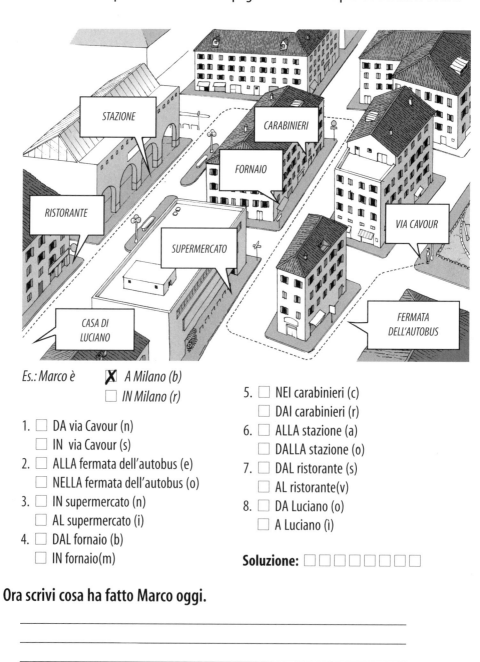

Es.: Marco è   ☒ *A Milano (b)*
             ☐ *IN Milano (r)*

1. ☐ DA via Cavour (n)
   ☐ IN via Cavour (s)
2. ☐ ALLA fermata dell'autobus (e)
   ☐ NELLA fermata dell'autobus (o)
3. ☐ IN supermercato (n)
   ☐ AL supermercato (i)
4. ☐ DAL fornaio (b)
   ☐ IN fornaio (m)

5. ☐ NEI carabinieri (c)
   ☐ DAI carabinieri (r)
6. ☐ ALLA stazione (a)
   ☐ DALLA stazione (o)
7. ☐ DAL ristorante (s)
   ☐ AL ristorante (v)
8. ☐ DA Luciano (o)
   ☐ A Luciano (ì)

Soluzione: ☐☐☐☐☐☐☐☐

15) **Ora scrivi cosa ha fatto Marco oggi.**

_____

_____

_____

Il lavoro.

16) Dove lavorano queste persone?

1. Mario lavora _____ banca.
2. Giuliana lavora _____ ufficio turistico.
3. Carla lavora _____ fabbrica.
4. Maria lavora _____ scuola.
5. Giancarlo lavora _____ ospedale.
6. Mario lavora _____ casa.

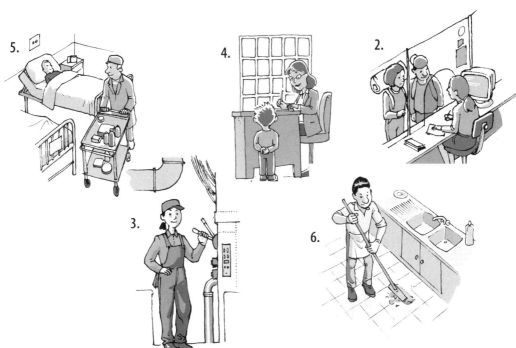

17) In coppia. Intervista un tuo compagno e fatti dire dove lavorano le persone della sua famiglia. Poi rispondi tu alle domande.

18) Gioco a squadre. Conosci i tuoi compagni? La classe viene divisa in due squadre. Ogni squadra, a turno, deve cercare di indovinare dove sono stati i membri della squadra avversaria durante l'ultima settimana. Se la risposta è esatta e anche la preposizione usata è corretta, si guadagnano 2 punti; se la preposizione è sbagliata si guadagna solo 1 punto.

Vado a ballare
Le preposizioni di luogo davanti ai verbi all'infinito.

19.1) Cosa hai fatto ieri? Segna quali di queste cose hai fatto.

1. Sono andato a lavorare. ☐
2. Sono rimasto a dormire fino a tardi. ☐
3. Sono stato a fare la spesa. ☐
4. Sono uscito a bere qualcosa con gli amici. ☐
5. Sono andato a vedere un film. ☐
6. Sono rimasto in casa a leggere e ad ascoltare la musica. ☐
7. Sono andato a trovare i miei parenti. ☐

19.2) Confronta le tue risposte con quelle di un compagno: avete fatto le stesse cose? Avete due vite diverse o molto simili?

20) Riguarda le frasi dell'esercizio 19.1.
Quale preposizione è usata davanti ai verbi all'infinito?

21) Scrivi tu la regola.

Davanti ai verbi all'infinito, per indicare
il posto dove qualcuno è (abita, vive)   →   Vado ☐ giocare a pallone!
o dove va, è usata la preposizione ☐.

22) Scegli la preposizione corretta.

1. Vado con Marco A/IN/DA discoteca A/IN/DA Parma A/IN/DA ballare la salsa.
2. A/IN/DA Rimini, davanti alla discoteca vendono la piadina e gli hot dog.
3. Vieni A/IN/DA sciare A/IN/DA Saint Moritz?
4. Andiamo A/IN/DA fare la spesa AL/NEL/DAL mercato.
5. Vieni AL/NEL/DAL pasticciere? Noi andiamo A/IN/DA comprare delle paste.

Per capire meglio
Esercizi di ricapitolazione.

23) Guarda i disegni e completa le frasi con le preposizioni "IN" o "A".

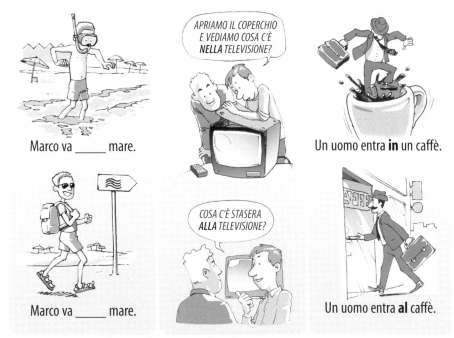

Marco va _____ mare.

*APRIAMO IL COPERCHIO E VEDIAMO COSA C'È **NELLA** TELEVISIONE?*

Un uomo entra **in** un caffè.

Marco va _____ mare.

*COSA C'È STASERA **ALLA** TELEVISIONE?*

Un uomo entra **al** caffè.

Per indicare il posto dove qualcuno (o qualcosa) sta, abita, vive, è o va,
è usata la preposizione **"A"** al posto della preposizione **"IN"**,
per dare alla frase un significato leggermente diverso.

Perché si dice "vado al mare" e "vado in discoteca"?

In italiano, per indicare il posto dove si va o si è, si usano tante preposizioni. Possiamo dire: "Stasera esco e vado **al** cinema". Ma qualcun altro vi potrebbe rispondere: "Io invece vado **in** discoteca", o ancora: "Io no, vado **dalla** nonna".

Perché qualche volta si usa **"DA"**, qualche volta **"A"** e qualche altra **"IN"**?

Spesso c'è una regola precisa: usiamo **"DA"** quando il posto è indicato da una persona, per esempio **da** Mario, **da** Francesca, **da** un amico o **dal** meccanico.

Fin qui è facile, ma quando usiamo **"IN"** e quando usiamo **"A"**? Naturalmente usiamo **"A"** quando andiamo o siamo in una città e davanti ai verbi all'infinito (vado **a** mangiare/ **a** dormire/ **a** studiare, ecc.).

Ma perché diciamo "Stasera vado **al** cinema" e "Stasera vado **in** discoteca"?

"IN" vuol dire "dentro" e può essere usato con tutti i nomi ma a volte, con alcune parole, per non fare confusione, dobbiamo usare la preposizione **"A"**. Pensiamo alla parola "mare".

Possiamo dire: "Mario è **in** mare" ma solo quando vogliamo dire che Mario è dentro l'acqua a fare il bagno. Quando invece diciamo "vado **al** mare in vacanza", pensiamo di andare in un posto di mare, in albergo, o in tenda o a prendere il sole. In questo caso non siamo dentro (il mare) ma molto vicino.

Anche con molte altre parole come "scuola", "cinema", "teatro", "caffè", "ristorante", ecc. c'è lo stesso problema. Si può dire "Maria lavora **nella** scuola (**nel** cinema, **nel** teatro, **nel** ristorante, ecc.) da 20 anni" ma si dice "Augusta oggi va **a** scuola (**al** cinema, **a** teatro, **al** ristorante ecc.)". Perché?

Se ci pensiamo, quando diciamo "vado **a** scuola", vogliamo dire che andiamo a studiare, il palazzo della scuola non ha molta importanza, infatti possiamo andare a scuola anche in una palestra o in qualche altro posto. Per esempio: "vado **a** scuola di judo in palestra", "vado **a** scuola di ballo in discoteca". Insomma nella frase "vado **a** scuola" quello che vogliamo sottolineare è che andiamo a studiare e non che entriamo dentro un posto preciso.

La stessa cosa succede quando diciamo "vado **a** teatro" (o "**al** cinema" o "**al** bar" o "**a** letto"). In tutti questi posti andiamo per fare qualcosa e non per entrare in quel preciso posto o palazzo.

Insomma la preposizione **"IN"** è una vera preposizione di luogo che indica un posto preciso ed esclude tutti gli altri , mentre la preposizione **"A"** indica una funzione, uno scopo, una ragione, un motivo.

"Vado **al** bar" vuol dire "Vado a bere un caffè/ a vedere gli amici".

"Vado **nel** bar" vuol dire "Entro nel bar, entro dentro al bar".

"Vado **a** scuola" vuol dire "Vado a studiare/a insegnare".

"Vado **nella** scuola" vuol dire "Entro nel palazzo della scuola".

Altri posti
Altre preposizioni per indicare il luogo.

24) **Guarda i disegni e leggi.** Dove passa la giornata Antonia?

Qui è a scuola seduta **tra** i libri mentre studia.

Più tardi la troviamo seduta **sulla** panchina mentre aspetta Marco.

Alle 13 è **a** casa e mangia.

Eccola seduta **per** terra che guarda la TV.

Antonia ora è **dalla** sua amica Francesca.

Qui è **in** piazza e si mangia un gelato.

25) **Leggi la regola.**

> Per indicare il posto dove qualcuno (o qualcosa) è (o va) si possono usare anche:
>
> 1) La preposizione **"TRA"** / **"FRA"** (= in mezzo). → Antonia è seduta **tra** i libri.
> 2) La preposizione **"PER"**. → Sono seduto **per** terra.
> 3) La preposizione **"SU"** (= sopra). → Antonia è seduta **sulla** panchina.

26) **Completa con le preposizioni.**

1. Antonia è stata ____ scuola, seduta ____ i libri.
2. Ha aspettato Marco ____ panchina.
3. Ha mangiato ____ casa.
4. Si è seduta ____ terra a guardare la televisione.
5. Più tardi è andata ____ Francesca.
6. Ha mangiato un gelato ____ piazza.

35

27) Leggi la regola.

Per indicare il posto dove qualcuno va, prima delle parole "qui","qua","là" e "lì" si può usare la preposizione **"DI"**.

→ Marco è **di** là (Marco è nell'altra stanza).
Marco è **di** qua (Marco è in questa stanza, diversa da quella dove sei tu).

Per indicare il posto dove qualcuno va, dopo il verbo "partire" si usa la preposizione **"PER"**.

→ Parto **per** Milano con il treno delle 10.

28) Completa con le preposizioni.

Mario è a casa e sta cercando Maria.
- Maria dove sei?
- Sono _____ qua!
- Di qua dove?
- _____ terrazzo, vieni!
Mario va _____ terrazzo.
- Ah, sei qui. E Giacomo dov'è?
- Ma è _____ là!
- _____ là? E dove?
- _____ camera sua, penso.
- No, _____ là non c'è, ho appena guardato...
- Hai ragione, è partito _____ Siena, ha preso l'autobus delle tre.
- È partito _____ Siena così, senza neanche salutare?
- Beh, tu non eri _____ casa...
- Poteva telefonarmi _____ ufficio...
- Ha detto che telefona stasera, è partito di corsa, si era dimenticato l'appuntamento _____ professore.

29) Leggi la regola.

Per introdurre il luogo attraverso il quale si passa si usano le preposizioni:

"PER" → Federica è passata **per la** camera dei suoi genitori.
e, a volte, **"DA"**. → Federica è passata **dalla** camera dei suoi genitori.

30)   **Completa le frasi con le preposizioni.**

1. Per andare da Roma a Milano bisogna passare _____ Firenze e _____ Bologna.
2. Prima di venire ____ te ho fatto un giro ____ la città. Sono stata ____ meccanico e poi ____ bar.
3. Quest'estate voglio fare un giro _____ le isole greche.
4. "Abiti _____ Germania?" "Sì, sono _____ Berlino."
5. "Andiamo _____ mangiare fuori stasera?" "No, io voglio andare _____ cinema."
6. Marco vive _____ Firenze da tre anni e ancora non la conosce.
7. Mi piace camminare _____ la campagna.

31)   **Leggi la regola.**

Per indicare lo spazio che manca per arrivare ad un determinato posto si usano le preposizioni:

"TRA" o **"FRA"**	→	**Fra** 10 km siamo arrivati.
e **"A"**.	→	Roma è **a** 25 km da qui.

32)   **Sei su un'autostrada e leggi questo cartello.**

MILANO	220 KM
TORINO	260 KM
VENEZIA	380 KM
FIRENZE	180 KM
ROMA	420 KM
NAPOLI	660 KM

Rispondi a queste domande:

Dov'è Torino? E Milano? Dov'è Venezia? Fra quanti km arrivi a Napoli? E a Firenze?

33)   **Leggi la regola.**

Dopo le parole "vicino","davanti","dietro","sopra" e "sotto" si usa sempre la preposizione **"A"**.	→	Marco è davanti **a** me.

34)   **Rispondi alle domande utilizzando "vicino","davanti","dietro","sopra" e "sotto".**

1. Dov'è la Nuova Zelanda?   _____
2. Dov'è la tua scuola/il tuo posto di lavoro?   _____
3. Dov'è il libro che stai leggendo?   _____
4. Dov'è la Norvegia?   _____
5. E l'Italia?   _____
6. Dove sei seduto?   _____
7. Dove abiti?   _____

Capitolo 4
Il tempo

Il tempo
Introduzione alle preposizioni che indicano il tempo.

pag. 40

Le preposizioni che parlano del tempo possono indicare:

1. il momento preciso di una azione. → Sono nato **nel** 1960.

2. l'inizio e la fine di un periodo di tempo. → Il bar è chiuso **dalle** 12 **alle** 14.

3. la quantità di tempo. → Abito a Roma **da** 15 anni.
Ho abitato a Roma **per** 10 anni.
Sono arrivato a Roma **in** 2 ore.

Il momento preciso di un'azione
Le preposizioni che indicano il tempo con precisione.

pag. 42

Per indicare con precisione il momento di un fatto (la data, la stagione, il giorno, l'epoca) si usano le preposizioni:

1. **"IN"**, seguita dall'indicazione del tempo. → Sono nato **nel** 1960.
Nel 2010 mio figlio avrà 10 anni.

2. **"PER"**, nel caso di un fatto che non è ancora avvenuto → Torno a casa **per** le 8.

3. **"A"**, davanti ai nomi dei giorni importanti come Pasqua e Natale. → **A** Natale vado da mia zia.

4. **"DI"**, (o solo l'articolo) davanti ai nomi dei giorni della settimana (Domenica, Lunedì, ecc.) e alle parole "giorno","notte","mattina","pomeriggio" e "sera". → **Di** sera guardo la TV.
(= La sera guardo la TV.)

L'inizio e la fine
Le preposizioni che indicano l'inizio e la fine.

pag. 44

Quando si indicano l'inizio e la fine di un periodo di tempo si usano le forme:

1. **DA ... A ...** nel caso di un'azione che si svolge lungo tutto il periodo. → Il bar è chiuso **dalle** 12 **alle** 14.

2. **TRA ... e ...** nel caso di un'azione che si svolge lungo una parte del periodo indicato. → Mario arriverà **tra** le 5 **e** le 6 *(in un momento qualsiasi)*.
Mario resterà a Roma **tra** Natale **e** Capodanno *(anche per tutto il periodo)*.

La quantità di tempo
Le preposizioni che indicano la quantità di tempo.

> Per indicare la quantità di tempo si usano:
>
> 1. **"DA"**, per indicare un periodo di tempo → Roma esiste **da** più di 2700 anni
> che va dal passato al momento presente. *(= e anche adesso esiste).*
>
> 2. **"IN"**, per indicare il periodo di tempo → La luce arriva sulla terra **in** 8 minuti.
> dentro il quale si compie un'azione.
>
> 3. **"PER"**, per indicare quanto tempo → L'aereo deve volare **per** 8 ore.
> il soggetto continua a compiere un'azione. *(= deve continuare a volare per 8 ore).*

Rivediamo tutto
Esercizi di ricapitolazione.

Quanti anni hai?
Le preposizioni che indicano le età di una persona.

> Per indicare gli anni di una persona (la sua età) si possono usare:
>
> 1. la preposizione **"DI"**. → Giacomo è un ragazzo **di** 19 anni.
>
> 2. la preposizione **"A"**. → **A** 6 anni Giacomo è andato a scuola.

Da giovane e da vecchio
Le preposizioni che indicano i periodi della vita.

> È possibile indicare l'età di una persona
> con la preposizione **"DA"** seguita dalle parole → Maria **da** ragazza ha vissuto a Firenze.
> "giovane", "vecchio", "bambino", "studente", ecc.

A che ora...?
Le preposizioni che indicano le ore.

> Per dire l'ora si usano:
>
> 1. la preposizione **"A"** quando si vuole indicare l'ora esatta. → Oggi mi sono alzata **alle** sette.
>
> 2. la preposizione **"TRA"/"FRA"** quando si vuole indicare → Esco **tra** un'ora.
> dopo quanto tempo avviene un'azione.

Il tempo
Introduzione alle preposizioni che indicano il tempo.

1.1) **Leggi questo dialogo tra Mario e sua figlia Federica e poi trova tutte le preposizioni che indicano il tempo.**

- Papà, parlami un po' della tua vita.
- Cosa vuoi sapere?
- Tutto.
- Va bene. Allora, io sono nato a Livorno nel 1941. Nel 1943, siccome c'era la guerra ed era pericoloso stare in città, siamo scappati in campagna da una zia. Alla fine della guerra siamo tornati, ma Livorno era distrutta e mio padre per due anni non è riuscito a trovare un lavoro. Mi ricordo che eravamo molto poveri. Comunque io mi divertivo, in inverno studiavo e nei mesi di vacanza andavo dalla zia in campagna. Più tardi queste vacanze sono finite. Dal 1956, infatti, ho cominciato a lavorare d'estate. Dopo il liceo sono andato all'università a Firenze. Di giorno studiavo e di sera lavoravo in un bar… ma soprattutto ho conosciuto tua madre. Mi sono laureato in quattro anni e, tra il '65 e il '67 ho fatto il servizio militare. Poi mi sono sposato e da 30 anni vivo qui, a Sorano.

1.2) **Rispondi alle domande.**

1. Quando è nato Mario?
2. Quando è arrivata la guerra a Livorno?
3. Quando è tornata a Livorno la famiglia di Mario?
4. Per quanto tempo il papà di Mario è rimasto disoccupato?
5. Quando studiava Mario da piccolo?
6. Quando andava dalla zia?
7. In quale stagione ha cominciato a lavorare?
8. A Firenze, quando studiava?
9. E quando lavorava?
10. In quanto tempo ha preso la laurea?
11. In che periodo ha fatto il militare?
12. Da quanto tempo abita a Sorano?

2) Queste frasi parlano del tempo in modi diversi. Collegale alla colonna di sinistra per indicare di che tipo di tempo parlano.

FRASE

a. Sono stato sposato **dal** 1984 **al** 1996.
b. Ho studiato italiano **per** sette anni.
c. Mi sono sposato **nel** 1984.

COSA INDICA?

1. La quantità.
2. Il momento preciso.
3. L'inizio e la fine di un periodo di tempo.

3) **Completa la tabella.**

	il momento preciso	l'inizio e la fine	la quantità
1. Io sono nato a Livorno **nel 1941.**	X		
2. **Nel 1943** c'era la guerra.			
3. Mio papà, **per due anni,** non è riuscito a trovare un lavoro.			X
4. **In inverno** studiavo.			
5. **Nei mesi** di vacanza andavo dalla zia.			
6. **Dal 1956 al 1958** ho lavorato d'estate.			
7. **Di giorno** studiavo.			
8. **Di notte** lavoravo in un bar.			
9. Mi sono laureato **in quattro anni**.			
10. **Tra il '65 e il '67** ho fatto il servizio militare.		X	
11. **Da 30 anni** vivo quì.			X
12. Abito a Firenze **da 20 anni**.			
13. La luce arriva sulla terra **in 8 minuti**.			
14. Ho abitato in Tunisia **dal '91 al '93**.			
15. **Nel 1994** sono arrivato a Firenze.			

4) **Leggi la regola.**

Le preposizioni che parlano del tempo possono indicare:

1. il momento preciso di una azione. → Sono nato **nel** 1960.

2. l'inizio e la fine di un periodo di tempo. → Il bar è chiuso **dalle** 12 **alle** 14.

3. la quantità di tempo. → Abito a Roma **da** 15 anni.
Ho abitato a Roma **per** 10 anni.
Sono arrivato a Roma **in** 2 ore.

Il momento preciso di un'azione
Le preposizioni che indicano il tempo con precisione.

5)   **Rispondi alle domande.**

1. Quando sei nato/a? Nel _____.
2. Quando è nata la tua mamma? _____.
3. Quando è nato il tuo miglior amico? _____.

6)   **Conosci la storia? Prova a rispondere a queste domande.**

A) Quando è iniziata la prima guerra mondiale?	B) Quando è scoppiata la seconda guerra mondiale?	C) Quando è cominciata la rivoluzione francese?
☐ 1. Nel 1914.	☐ 1. Nel 1940.	☐ 1. Nel 1789.
☐ 2. Nel 1915.	☐ 2. Nel 1939.	☐ 2. Nel 1917.
☐ 3. Nel 1939.	☐ 3. Nel 1967.	☐ 3. Nel 1848.

7)   **Quale preposizione si usa per indicare la data?**

Per indicare con precisione il momento di un fatto (la data, la stagione, il giorno, l'epoca) si utilizza la preposizione ☐ seguita dall'indicazione del tempo.   ➜   Sono nato ☐ 1960.

8)   **In due di queste frasi la preposizione "PER" non indica il tempo: quali sono?**

1. Torno a casa per le 9.
2. Parto per Roma alle 4.
3. Maria deve essere a scuola per le 8.
4. Il libro sarà pronto per il 20 settembre.
5. Farei tutto per te.
6. Ti faccio sapere qualcosa per le sette di stasera.
7. Devo finire questa relazione per giovedì prossimo.

9)   **Cosa indica la preposizione "PER" nelle frasi 1, 3, 4, 6, 7 dell'esercizio 8?**

a. Il momento preciso di un fatto che non è ancora avvenuto.
b. Il momento preciso di un fatto del passato.
c. l'inizio di un periodo di tempo.
d. La quantità di tempo.

10)   **Scrivi tu la regola.**

Per indicare il momento preciso di un fatto che non è ancora avvenuto si usa la preposizione ☐   ➜   Torno a casa ☐ le 8. seguita dall'indicazione del tempo.

11) **Leggi questo dialogo tra Giacomo e un suo amico.**

- Ciao Giacomo, come va?
- Non c'è male e tu?
- Così così, di Lunedì mi sento sempre stanco.
- Anch'io perchè durante il weekend, di notte, dormo pochissimo.
- Senti hai deciso cosa fai a Natale?
- A Natale? Niente di particolare. Credo che starò a casa con i miei.

- No, voglio dire per le vacanze di Natale. Dove vai a Capodanno?
- A Capodanno? Non so, non ci ho ancora pensato. Organizziamo una festa?
- Per me va bene, ma dove?
- A casa mia, per esempio.
- D'accordo. Allora cominciamo ad organizzare.

12) **Nel dialogo precedente trova tutte le preposizioni che introducono il tempo.**

13) **Quali preposizioni si usano davanti ai nomi dei giorni importanti come Pasqua, Natale, Capodanno?**
Quali preposizioni si usano davanti ai nomi dei giorni della settimana (Domenica, Lunedì, Martedì ecc.)?
Quali preposizioni si usano davanti ai momenti della giornata (notte, giorno, mattina, pomeriggio, ecc.)?

14) **Completa con le preposizioni.**

A. Maria lavora a scuola tutta la settimana ma ____ Sabato e ____ Domenica si riposa.

B. Giacomo ____ giorno studia ma ____ notte... si diverte.

C. Mario ____ Natale andrà a sciare.

15) **Scrivi tu la regola.**

Per indicare con precisione il momento di un fatto (la data, la stagione, il giorno, l'epoca) si usano le preposizioni:

1. ☐ davanti ai nomi dei giorni importanti come Pasqua e Natale. → ☐ Natale vado da mia zia.

2. ☐ (o solo l'articolo) davanti ai nomi dei giorni della settimana (Domenica, Lunedì, ecc.) e alle parole "giorno", "notte", "mattina", "pomeriggio" e "sera". → ☐ sera guardo la TV. (= **La** sera guardo la TV.)

L'inizio e la fine
Le preposizioni che indicano l'inizio e la fine.

16) **Guarda le due frasi e poi completa con le preposizioni.**

A. Maria lavora a scuola **dal** Lunedì **al** Venerdì. Il Sabato e la Domenica si riposa.

B. Mario lavora ogni giorno **tra** le 9 **e** le 13, poi **tra** le 14.30 **e** le 17.30.

1. La prima guerra mondiale è stata combattuta _____ 1914 _____ 1918.
2. _____ 1982 _____ 1987 sono stato all'università.
3. L'ambulatorio resta aperto _____ 9,30 _____ 15, _____ Lunedì _____ Sabato.
4. Ieri ero stanchissimo e _____ _____ sette _____ _____ otto mi sono addormentato.
5. D'estate, _____ 2 _____ 4 del pomeriggio fa troppo caldo per uscire.

17) **Leggi la regola.**

Quando si indicano l'inizio e la fine di un periodo di tempo si usano le forme:

1. **DA ... A** ... nel caso di un'azione che si svolge lungo tutto il periodo.
→ Il bar è chiuso **dalle** 12 **alle** 14.

2. **TRA ... e** ... nel caso di un'azione che si svolge lungo una parte del periodo indicato.
→ Mario arriverà **tra** le 5 **e** le 6 *(in un momento qualsiasi).*
Mario resterà a Roma **tra** Natale **e** Capodanno *(anche per tutto il periodo)*

La quantità di tempo
Le preposizioni che indicano la quantità di tempo.

18) Scegli l'affermazione giusta.

A. La luce arriva sulla Terra:
1. ☐   in otto minuti
2. ☐   in un'ora
3. ☐   in mezz'ora

B. Sulla terra la vita esiste:
1. ☐   da 3,5 miliardi di anni
2. ☐   da circa 1 milione di anni
3. ☐   da 300 milioni di anni

C. Per andare da Parigi a New York un aereo deve volare:
1. ☐   per otto ore
2. ☐   per meno di sette ore
3. ☐   per più di nove ore

D. L'uomo più veloce corre i cento metri:
1. ☐   in meno di dieci secondi
2. ☐   in undici secondi
3. ☐   in dieci secondi e quattro decimi

E. Roma esiste:
1. ☐   da più di 2700 anni
2. ☐   da più di 1500 anni
3. ☐   da più di 2000 anni

F. Prima di tornare al punto di partenza, la Terra si muove intorno al Sole:
1. ☐   per 365 giorni
2. ☐   per 365 giorni e 4 ore
3. ☐   per 366 giorni

G. Una barca a vela molto veloce attraversa l'Atlantico:
1. ☐   in tre settimane
2. ☐   in cinque settimane
3. ☐   in quattro settimane

H. L'automobile esiste:
1. ☐   da più di 70 anni
2. ☐   da più di 200 anni
3. ☐   da più di 130 anni

I. Nella famosa corsa di Le Mans le macchine corrono:
1. ☐   per 12 ore
2. ☐   per 24 ore
3. ☐   per 3 giorni

19) Leggi la regola.

Per indicare la quantità di tempo si usano:

1. **"DA"**, per indicare un periodo di tempo che va dal passato al momento presente.

→ Roma esiste **da** più di 2700 anni
(= e anche adesso esiste).

2. **"IN"**, per indicare il periodo di tempo dentro il quale si compie un'azione.

→ La luce arriva sulla terra **in** 8 minuti.

3. **"PER"**, per indicare quanto tempo il soggetto continua a compiere un'azione.

→ L'aereo deve volare **per** 8 ore
(= deve continuare a volare per 8 ore).

20) **Prendi un orologio e misura per quanto tempo puoi rimanere senza respirare.**

Sono rimasto senza fiato **per** .... secondi.

21) **Rispondi e poi fai le domande a un tuo compagno.**

a. Quanto tempo puoi rimanere senza respirare?

b. Quanto tempo puoi studiare senza riposare?

22) **Cosa si dicono queste due persone?**

HO IERI ORE DORMITO PER SERA STANCHISSIMO ERO E 12

IO NON LA RIUSCIVO A INVECE E HO LETTO PER TUTTA DORMIRE NOTTE

_____

_____

_____

_____

_____

_____

_____

23) **Scegli la preposizione giusta.**

1. Un aereo normale, da Parigi a New York, deve volare PER/DA sei ore.
2. Nel 1936, Jessy Owens ha corso i cento metri IN/DA dieci secondi.
3. La corsa automobilistica di Le Mans si corre PER/DA 24 ore.
4. Un ragazzo americano è rimasto chiuso in ascensore IN/PER 3 giorni.
5. Ieri ero molto stanco e ho dormito IN/PER 15 ore.
6. Con una Ferrari posso arrivare a Milano IN/PER 3 ore, con la mia macchina devo viaggiare PER/A 5 ore.
7. Marco sta studiando IN/DA 2 ore ma non ha ancora capito niente.

Differenze tra "IN" e "PER"

Tra **"IN"** e **"PER"**, quando indicano il tempo, c'è una differenza molto piccola. Prendiamo queste due frasi:

1) Ho letto il libro **in** 2 ore. = Ho finito di leggere il libro in 2 ore, tutto il libro è stato letto.

2) Ho letto il libro **per** 2 ore. = Ho letto il libro ma non l'ho ancora finito.

La preposizione **"IN"** indica che l'obiettivo dell'azione è stato raggiunto, l'azione si è conclusa (o si concluderà) nel tempo indicato.

Insomma **"IN"** sottolinea la finitezza e **"PER"** la continuità e la durata di un'azione.

Rivediamo tutto
Esercizi di ricapitolazione

24) Completa il testo con le preposizioni.

1. La "guerra dei 100 anni" è stata combattuta in Europa _____ _____ 1337 e il 1453.
2. La "guerra dei 30 anni" è stata combattuta in Europa dal 1618 _____ 1648.
3. Durante la seconda guerra mondiale si è combattuto _____ sei anni.
4. La seconda guerra mondiale è finita _____ sei anni.
5. La "guerra dei 6 giorni" è stata combattuta tra arabi e israeliani _____ 1967.
6. La prima guerra mondiale è finita _____ 4 anni.
7. Ho studiato l'italiano a scuola _____ due anni, _____ 1998 _____ 2000.
8. Conrad ha imparato l'italiano _____ solo tre mesi.
9. Giacomo è nato _____ 1970.

25) Scegli la preposizione giusta per indicare:

il tempo che va dal passato ad ora	il periodo dentro cui si svolge l'azione	la continuità del tempo
1. Mangio _____ due ore.	2. Mangio _____ due ore.	3. Mangio _____ due ore.
4. Sono a letto _____ 10 di ieri sera e ho ancora sonno.	5. Ho ancora sonno ma _____ due minuti mi alzo.	6. Ho dormito solo ___ pochi minuti e ho ancora sonno.
7. È arrivato _____ 10 minuti.	8. Arrivo _____ 10 minuti.	9. Aspetto _____ 10 minuti, poi vado.

26) Queste frasi contengono 3 errori: trovali e correggili.

1. Mario ha studiato Economia con 4 anni, e poi, dal '65 al '67, ha fatto il servizio militare.
2. Maria ha abitato a Firenze in 5 anni, tra il 1968 e il 1973.
3. Ho studiato l'inglese nei 4 anni.

27) Completa con le preposizioni.

Allora, io sono nato a Livorno _____ 1941. _____ 1943, siccome c'era la guerra ed era pericoloso stare in città, siamo scappati in campagna da una zia. Con la fine della guerra siamo tornati, ma Livorno era distrutta e mio padre _____ due anni non è riuscito a trovare un lavoro. Mi ricordo che eravamo molto poveri. Comunque, io mi divertivo, _____ inverno studiavo e _____ estate andavo dalla zia in campagna. Dopo il liceo sono andato all'università a Firenze. _____ giorno studiavo e _____ sera lavoravo in un bar... ma soprattutto ho conosciuto mia moglie. Mi sono laureato _____ quattro anni e _____ _____ '65 e il '67 ho fatto il servizio militare. Poi mi sono sposato e _____ 30 anni vivo qui, a Sorano.

28) Ora parla della tua vita.

Quanti anni hai?
Le preposizioni che indicano le età di una persona.

29) In coppia. Rispondi. Poi fai le domande a un tuo compagno.

Cosa facevi a 6 anni?   Cos'hai fatto di importante a 13 anni?
A che età hai cominciato a studiare l'italiano?   Da quanto tempo studi l'italiano?

30.1) Leggi il brano.

Giacomo è un ragazzo di 20 anni che ora studia all'università. Ma cos'ha fatto Giacomo prima, quando era piccolo?
Come tutti i bambini italiani, a 6 anni Giacomo ha cominciato ad andare a scuola, poi, a 8 anni, si è iscritto ad una palestra di judo. Più tardi, a 13 anni, ha cominciato a suonare la chitarra, che suona ancora adesso. A 17 anni ha trovato la sua prima fidanzata. A 19 anni dopo l'esame di maturità si è trasferito a Siena per studiare.

30.2) Rispondi alle domande.

1. Chi è Giacomo? _____
2. Quando ha iniziato a studiare? _____
3. A che età ha cominciato a fare judo? _____
4. Quando ha iniziato a suonare la chitarra? _____
5. A quanti anni ha avuto il suo primo amore? _____

31) Quali preposizioni sono usate nel testo per indicare l'età di Giacomo?

32) Scrivi tu la regola.

Per indicare gli anni di una persona (la sua età) si possono usare:

1. la preposizione [ ].   →   Giacomo è un ragazzo [ ] 19 anni.
2. la preposizione [ ].   →   [ ] 6 anni Giacomo è andato a scuola.

33) Scegli la preposizione giusta.

Le vite di Antonia e di Federica.

Antonia e Federica sono due gemelle DI/A/CON 17 anni. Anche se sono sempre state molto unite, hanno avuto due vite diverse. Antonia DI/A/CON 3 anni andava all'asilo, mentre Federica non voleva e passava la giornata con la nonna. Quando, IN/DI/A 7 anni, Federica ha cominciato ad andare a danza, Antonia ha preferito un corso in piscina. DI/A/CON 15 anni Antonia ha trovato un ragazzo, Marco, DI/A/PER 16 anni, mentre Federica sta ancora aspettando il primo amore.

Da giovane e da vecchio
Le preposizioni che indicano i periodi della vita.

34) Rispondi: quale animale da piccolo ha quattro gambe,
da adulto ne ha due, e da vecchio tre?

35.1) Guarda i disegni.

    1. Antonia **da** piccola stava con la nonna.
    2. Maria **da** ragazza ha vissuto a Firenze.
    3. Anche Mario **da** studente stava a Firenze.
    4. E **da** vecchio vuole andare a vivere all'isola d'Elba.
       Gli piace molto il mare.

35.2) Nelle frasi 1., 2., 3. e 4. sostituisci
la preposizione semplice DA
con "quando era" o con "quando sarà".

    1. _____
    2. _____
    3. _____
    4. _____

36) Completa le frasi come nell'esempio.

    Es.: Quando ero ragazzo non studiavo mai.   ***Da*** *ragazzo non studiavo mai.*

    1. Quando era studente Marco ha girato l'Europa in treno. _____
    2. Quando era giovane mia nonna era bellissima. _____
    3. Quando sarò vecchio non lavorerò più. _____
    4. Federica, cosa farai quando sarai grande? _____
    5. Il mio gatto, quando era piccolo, era molto carino. _____

37) Scrivi tu la regola.

> È possibile indicare l'età di una persona con
> la preposizione [   ] seguita dalle parole → Maria [   ] ragazza ha vissuto a Firenze.
> "giovane", "vecchio", "bambino", "studente", ecc.

A che ora...?
Le preposizioni che indicano le ore.

38) **In coppia. Rispondi e poi fai le domande a un tuo compagno.**

> A che ora ti alzi?
> A che ora cominci a studiare/lavorare?
> A che ora pranzi?
> A che ora finisci di studiare/lavorare?
> A che ora vai a letto?

39) **Leggi e trova tutte le preposizioni che introducono le ore.**

> Caro diario,
> oggi, come tutte le mattine mi sono alzata alle sette. Dalle otto alle dodici sono stata a scuola.
> Quando sono uscita ho aspettato Marco per andare a casa con lui. Alle due ho cominciato a
> studiare. Poi tra le cinque e le sette ho fatto un giro per il paese. Dopo sono uscita per andare
> al cinema. A mezzanotte sono andata a dormire.
>
> *Antonia*

40) **Scrivi tu la regola.**

Per indicare l'ora esatta
si usa la preposizione [ ] .　　→　　Oggi mi sono alzata [ ] sette.

41.1) **Leggi.**

> *Antonia* - Che ore sono?
> *Maria* - Mancano cinque minuti **alle** tre. Perché?
> *Antonia* - Perché **dalle** tre **alle** quattro devo andare in palestra.
> *Maria* - Allora esci?
> *Antonia* - Sì, ci vediamo **fra** un' ora. Ciao.
> *Maria* - Ciao.

41.2) **Rispondi alle domande sul dialogo precedente.**

> 1. Che ore sono?
> 2. Quando deve andare in palestra Antonia?
> 3. Quando torna?

42) Completa.

1. Mario lavora _____ 8 _____ 14.
2. Maria lavora _____ mattina _____ sera.
3. Antonia studia _____ 4 _____ 7.

43) Completa le frasi secondo l'esempio.

Cosa fa Antonia?

Va in palestra per un'ora.
Sta partendo per un mese di vacanza.
Va a Milano per due giorni.
Esce 5 minuti a comprare il latte.
Sono le 8 e va a scuola fino alle 12.
Va in paese per un po'.

Quando torna Antonia?

Fra un'ora.
1. _____
2. _____
3. _____
4. _____
5. _____

44) Guarda i disegni e completa le frasi.

2. _____ 20 giorni è Natale.

1. _____ un'ora sono le 9.

3. Il meccanico torna _____ poco.

45) Scrivi tu la regola.

La preposizione [   ] / [   ] **si usa** per indicare dopo quanto tempo avviene un'azione. → Esco un'ora.

46) **Rispondi alle domande.**

1. Quando vai a lavorare? **Tra** poco.
2. Quand'è Pasqua? _____
3. Quando vai a casa? _____
4. Quando finisce la scuola? _____
5. Quando capirai le preposizioni? _____

47) **Prova a descrivere la tua giornata.**

Mi alzo

_____

_____

_____

_____

_____ vado a dormire.

Capitolo 5
Il fine e la causa

Lavoro per vivere
Il fine di un'azione con la preposizione "PER".

> Normalmente per indicare il fine di un'azione
> si usa la preposizione **"PER"**.   →   Lavoro **per** vivere.

Esco a comprare il giornale
Il fine di un'azione con la preposizione "A".

> Con alcuni verbi (vedi lista a pag. 56), seguiti da   →   Esco **a** comprare il giornale.
> un altro verbo all'infinito, per indicare il fine   →   (= Esco **per** comprare il giornale.)
> si usa preferibilmente la preposizione **"A"**.

Ho sbagliato per colpa tua
La causa di un'azione con la preposizione "PER".

> Per introdurre la causa di un'azione o di una
> situazione, possiamo usare la preposizione **"PER"**.   →   Mario è a letto **per** l'influenza.

Muoio dal caldo
Le preposizioni di causa con altri verbi.

> Per introdurre la causa con molte espressioni che indicano lo stato d'animo di una persona si
> possono usare le preposizioni:
>
> 1) **"PER"** articolata;   →   Grido **per** la gioia.
> 2) **"DA"** articolata;   →   Grido **dalla** gioia.
> 3) **"DI"** semplice.   →   Grido **di** gioia.

Rivediamo tutto
Esercizi di ricapitolazione.

Lavoro per vivere
Il fine di un'azione con la preposizione "PER".

1)   Il signor Stortoni è un tipo strano e fa le cose al contrario.
     Riscrivi le frasi in modo sensato.

1._____
_____
2._____
_____
3._____
_____
4._____
_____
5._____
_____

2)   **Hai cambiato città e tutto è nuovo per te: cosa fai nelle prime settimane?**

☐ Giro tutta la città a piedi per capire com'è fatta.
☐ Esco tutte le sere per trovare nuovi amici.
☐ Visto che non conosco nessuno, per non annoiarmi mi compro decine di libri.
☐ Per informarmi sulla vita della nuova città, leggo tutti i giornali locali.
☐ Invito ogni sera a casa i nuovi colleghi di lavoro per fare cene o feste.
☐ Spendo tantissimi soldi in telefonate per mantenere i contatti con i vecchi amici.
☐ Mi iscrivo a un nuovo corso di italiano per cercare di conoscere gente.

3)   **Prova a tradurre nella tua lingua le frasi dell'esercizio precedente. Discuti con un compagno della preposizione "PER". Cerca di capire a cosa serve e cosa introduce.**

4) **Completa la tabella.**

imparare l'italiano	Perché studi?	Studio **per** imparare l'italiano.
fare il bagno	Perché vai al mare?	1.
divertirsi	Perché i bambini giocano?	2.
non ingrassare	3.	Mangio poco **per** non ingrassare.
4.	5.	Guardo la TV **per** vedere un film
6.	7.	Lavoro **per** vivere

5) **Completa le frasi con le parole della lista. Alla fine uscirà il testo di una famosa canzone italiana.**

il seme	un fiore	un fiore	il frutto	il legno	l'albero	un fiore

1. Per fare un tavolo ci vuole _____
2. Per fare il legno ci vuole _____
3. Per fare l'albero ci vuole il seme.
4. Per fare il seme ci vuole _____
5. Per fare il frutto ci vuole _____
6. Per fare un tavolo ci vuole un fiore.
7. Per fare tutto ci vuole _____

("Ci vuole un fiore" - canzone di Sergio Endrigo)

6) **Scrivi tu la regola.**

Normalmente per indicare il fine di un'azione si usa la preposizione [ ] . → Lavoro [ ] vivere.

7) **Rispondi alle domande con le parole della lista come nell'esempio.**

fare l'esame	parlare con gli italiani	parlare con Dio	dimenticare
visitare New York	non ingrassare	chiamare la mamma	vivere

Es.: Perché Luisa e Gianna lavorano?   **Per** vivere.

1. Come mai Andrea beve? _____
2. Per quale ragione i santi pregano? _____
3. A cosa serve studiare italiano? _____
4. Perché Luisa non mangia? _____
5. Sai perché il bambino sta piangendo? _____
6. Come mai Maria sta studiando? _____
7. Per quale motivo Roberto è in America? _____

Esco a comprare il giornale
Il fine di un'azione con la preposizione "A".

8.1) Maria è un'insegnante. Leggi l'e-mail che scrive a suo figlio Giacomo.

Caro Giacomo,

da quando sei andato a vivere a Siena mi manchi molto. **Per** stare un po' con te, ti voglio raccontare cosa ho fatto oggi. La mattina ho insegnato e sono rimasta a scuola fino alle 12. Nel pomeriggio sono uscita **a** comprare un po' di pane, ma poi ho incontrato Giovanna e mi sono fermata **a** prendere un caffè con lei. Siamo state insieme un po' ma poi io sono dovuta tornare **a** casa a studiare le lezioni di domani. Ho finito da poco. Ti scrivo questa lettera e poi devo scendere in cucina **a** preparare da mangiare. Scrivimi.

Un bacio,

Mamma

8.2) Scegli la preposizione giusta.

1. Maria scrive l'email a Giacomo PER/A/DI sentirsi vicina a lui.
2. Nel pomeriggio Maria è uscita A/DA/DALL' comprare del pane.
3. Maria si è fermata con Giovanna IN/A/DA prendere un caffè.
4. Maria è tornata a casa DA/A/NEL studiare.
5. Maria deve scendere in cucina A/DA/CON preparare da mangiare.

9) Nell'e-mail di Maria la preposizione "a" è evidenziata 4 volte. Sai dire cosa introduce?

10) Leggi la regola.

| Con alcuni verbi (vedi lista), seguiti da un altro verbo all'infinito, per indicare il fine si usa preferibilmente la preposizione **"A"** . | → → | Esco **a** comprare il giornale. (= Esco **per** comprare il giornale.) |

Lista dei verbi con i quali il fine è introdotto preferibilmente dalla preposizione "A".

essere	Sono stato al mercato **a (per)** comprare le mele.
restare	Resto **a (per)** vedere il film.
rimanere	Rimango **a (per)** pulire.
mandare	Ho mandato Lou dal fornaio **a (per)** comprare il pane.
portare	Ho portato mia nonna al cinema **a (per)** vedere un film di Fellini.
andare	Sono andato al mare **a (per)** fare il bagno.
venire	Sono venuto in Italia **a (per)** studiare l'italiano.
salire	Giacomo è salito in camera **a (per)** dormire.
scendere	Maria è scesa in cucina **a (per)** mangiare un panino.
uscire	Alessandro è uscito **a (per)** comprare il giornale.
servire	Il computer serve **a (per)** lavorare.

11) In alcune di queste frasi, per introdurre il fine, si può usare solo la preposizione "PER". In altre frasi, invece, normalmente si usa la preposizione "A" ma anche la preposizione "PER" è corretta. Completa la tabella come nell'esempio.

	solo "PER"	"A" o "PER"
Maria è uscita PER/A comprare un po' di pane.		X
Maria scrive una lettera PER/A sentirsi vicina a Giacomo.	X	
1. Maria si è fermata con Giovanna PER/A prendere un caffè.		
2. Maria è tornata a casa PER/A studiare.		
3. Maria deve scendere in cucina PER/A preparare la cena.		
4. Rimango a casa PER/A fare le pulizie.		
5. Studio italiano PER/A leggere i libri di Pasolini.		
6. Resto in ufficio PER/A finire il lavoro.		
7. Quando piove, PER/A non bagnarmi uso l'ombrello.		

12) Completa con le preposizioni (a volte ci sono due possibilità).

- Ciao, cosa fai?
- Sono _____ casa _____ fare le pulizie.
- Vuoi venire con me _____ Siena _____ vedere la nuova casa di Marco?
- No, grazie. Rimango un po' ____ pulire e poi devo correre ____ prendere Antonia ____ scuola.

13) Completa con le preposizioni.

Cara Mamma,

_____ quando sono venuto a vivere _____ Siena mi manchi molto. _____ stare un po' con te, ti voglio raccontare cosa ho fatto oggi. Quando sono tornato _____ casa dopo le lezioni, non ho fatto molto: sono uscito _____ comprare da mangiare, ma poi ho incontrato Enrica e mi sono fermato _____ parlare con lei. Poi sono dovuto tornare _____ casa _____ studiare. Ho finito _____ poco. Ti scrivo questa lettera e poi devo andare _____ preparare la cena. Scrivimi. Un abbraccio,

Giacomo

14) Completa con le preposizioni.

1. _____ imparare l'italiano bisogna andare _____ Italia.
2. Stasera voglio andare _____ cinema _____ vedere un bel film.
3. Migliaia di persone sono andate _____ stadio _____ vedere la partita.
4. _____ comprare la casa, Massimo deve lavorare _____ mattina _____ sera.
5. _____ inverno, _____ ripararmi dal freddo mi metto due maglioni di lana.
6. _____ andare _____ Bologna _____ Roma bisogna passare _____ Firenze.
7. Marco sta davanti _____ televisione _____ vedere il telegiornale.
8. _____ andare in vacanza ho affittato una barca a vela.

Ho sbagliato per colpa tua
La causa di un'azione con la preposizione "PER".

15) **Sei uno psicologo e un tuo cliente sta molto male.**
   Cerca di capire quali sono i motivi delle sue azioni.

Il tuo cliente vive in questo modo:	Perché?
1. Non mangia	a. per paura delle malattie
2. Non ha amici	b. per paura di ingrassare
3. Si lava continuamente	c. per la sua timidezza

16.1) **Leggi.**

Oggi non è una buona giornata a casa di Maria. Giacomo deve dare un esame all'Università e da tre giorni non mangia per la tensione. Mario invece non sta bene ed è a letto per l'influenza. Prima di andare a scuola Maria è andata in farmacia a comprare le medicine e poi, per il traffico, è arrivata in ritardo a scuola.

16.2) **Rispondi alle domande.**

1. Perché Giacomo non mangia da tre giorni?_____
2. Perché Mario è a letto? _____
3. Perché Maria è arrivata tardi a scuola? _____

16.3) **Sostituisci nel testo 16.1) la preposizione "PER" con "a causa di"**
   (attento alle preposizioni articolate).

_____

_____

_____

_____

_____

17) **Prova a tradurre nella tua lingua il testo dell'esercizio 16.1. Discuti con un compagno della preposizione "PER". Cerca di capire a cosa serve e cosa introduce.**

18) **Scrivi tu la regola.**

Per introdurre la causa di un'azione o di una situazione, possiamo usare la preposizione ☐ . → Mario è a letto ☐ l'influenza.

19) Cosa indica la preposizione "PER"? Completa la tabella.

	il fine	la causa
1. Dormo sempre **per** dimenticare i miei problemi.	X	
2. Sono stanco **per** il lavoro.		X
3. **Per** andare a scuola prendo la bicicletta.		
4. Mario è preoccupato **per** la crisi economica.		
5. Giacomo corre **per** arrivare in tempo a scuola.		
6. Antonia ha visto un film horror e non riesce a dormire **per** la paura.		
7. Il Presidente Lincoln è stato ucciso **per** le sue idee contrarie alla schiavitù.		

20.1) Conosci l'Italia? Leggi questi testi e indovina di quali città parlano.

È una città del nord, è famosa per la sua università e qualcuno la chiama "la dotta". È famosa anche per il suo ragù di carne e per il suo cibo e per questo qualcuno la chiama "la grassa". Negli ultimi 50 anni è sempre stata una città governata dai comunisti e per questo qualcuno la chiama "la rossa". Sai che città è?

Per le sue strade sull'acqua, per i suoi monumenti e per la sua storia è una delle città più famose del mondo. Per la sua ricchezza, per la sua bellezza e per la sua antica potenza commerciale è chiamata "la serenissima". Ti ricordi come si chiama?

Per la sua storia antichissima è chiamata "la città eterna". Oggi è conosciuta nel mondo per essere la città del Papa e il centro della chiesa cattolica. Che città è?

È in Toscana ed è famosa per il suo Palio, una corsa con i cavalli che si tiene ogni anno sulla piazza principale, piazza del Campo. Chi ama il vino la conosce anche per il suo vino rosso, il Chianti; chi ama i dolci la conosce invece per i Ricciarelli e per il Panforte, i suoi buonissimi dolci di mandorle. Di quale città parliamo?

Questa città del sud è invece conosciuta per la sua bellezza, per il suo mare e per il suo vulcano, il Vesuvio. È così bella che si dice "Vedi .... e poi muori". È unica al mondo per l'allegria e per la fantasia dei suoi abitanti. Ma è anche una città con molti problemi: per l'alto numero di persone senza lavoro è considerata la capitale della disoccupazione e della criminalità. Insomma è una città interessante ma difficile.

20.2) Completa le frasi con le parole della lista come nell'esempio.

l'università	la sua storia	il Palio	le strade sull'acqua	l'allegria

1. *Bologna è importante   per l'università.*
2. Venezia è conosciuta   _____
3. Napoli è unica al mondo   _____
4. Siena è conosciuta   _____
5. Roma è importante   _____

Muoio dal caldo
Le preposizioni di causa con altri verbi.

21.1) Leggi.

Paola telefona alla sua amica Antonia per parlare della sua interrogazione di matematica.
- Pronto Antonia? Ciao, sono Paola. Come va?
- Muoio di freddo ma sto bene, grazie. E tu?
- Adesso non c'è male, ma stamattina è stato terribile...
- Cioè?
- Oggi avevo l'interrogazione di matematica, te l'avevo detto? Beh, non importa. Come sai io di matematica non capisco niente.
Insomma, già alle otto tremavo dalla paura, poi il professore è entrato in classe e mi ha chiamata. Io sono andata da lui. Ero tutta rossa dalla vergogna, scoppiavo dal caldo...
- Con questo freddo...?

- Ma sì, ti giuro che morivo dal caldo. Poi lui mi ha fatto la prima domanda e io la sapevo ma impazzivo dalla tensione e non riuscivo a parlare. Il professore ha visto che ero troppo emozionata e mi ha detto di andare in bagno cinque minuti. Quando sono tornata mi sembrava di stare meglio e ho risposto alla seconda domanda. Ero contentissima. Pensa, ho anche gridato di felicità ma...
- Ma?
- Non ho saputo dire più niente. Dopo venti minuti stavo diventando pazza per la disperazione e poi...
- E poi?
- Poi niente: il prof. mi ha detto di andare e mi ha dato 3/10.

21.2) Questi disegni mostrano Paola durante l'interrogazione di matematica. Collega le frasi ai disegni.

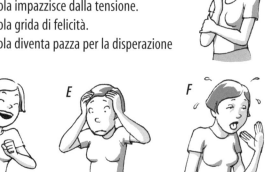

A
B

☐ 1. Paola trema dalla paura.
☐ 2. Paola è rossa dalla vergogna.
☐ 3. Paola scoppia dal caldo.
☐ 4. Paola impazzisce dalla tensione.
☐ 5. Paola grida di felicità.
☐ 6. Paola diventa pazza per la disperazione

C
D
E
F

21.3) Trova nel testo 21.1) tutte le preposizioni che introducono la causa.
Quali sono? Discuti con un compagno e cerca di capire
perché vengono usate queste preposizioni.

22) **Leggi la regola.**

> Per introdurre la causa con molte espressioni che indicano lo stato d'animo di una persona si
> possono usare le preposizioni:
>
> 1) **"PER"** articolata; → Grido **per** la gioia.
> 2) **"DA"** articolata; → Grido **dalla** gioia.
> 3) **"DI"** semplice. → Grido **di** gioia.

Rivediamo tutto

Esercizi di ricapitolazione.

23) **Guarda il disegno. Cosa dicono i tre signori in basso?**
Utilizza le frasi della lista per completare i loro commenti come negli esempi.

LISTA

1. ha gli occhi rossi **per** il pianto.
2. sta morendo **di** fame.
3. muore **per** la paura.
4. sta morendo **per** la fame.
5. è tutto rosso **di** vergogna.
6. muore **di** paura.
7. sembra verde **dalla** rabbia.
8. è tutto rosso **per** la vergogna.
9. muore **dalla** paura.
10. sta morendo **dalla** fame.
11. ha gli occhi rossi **dal** pianto.
12. sembra verde **per** la rabbia.
13. è tutto rosso **dalla** vergogna.
14. sembra verde **di** rabbia.
15. ha gli occhi rossi **di** pianto.

Quella donna dai capelli lunghi sta gridando **di** gioia.   [DI]
A. Il signore magro _____
B. Il tipo grasso _____
C. Quel timidone con gli occhiali _____
D. La ragazza con i capelli corti _____
E. Quell'uomo basso _____

Quella donna dai capelli lunghi sta gridando **per** la gioia.   [PER]
F. Il signore magro _____
G. Il tipo grasso _____
H. Quel timidone con gli occhiali _____
I. La ragazza con i capelli corti _____
K. Quell'uomo basso _____

Quella donna dai capelli lunghi sta gridando **dalla** gioia.   [DA]
L. Il signore magro _____
M. Il tipo grasso _____
N. Quel timidone con gli occhiali _____
O. La ragazza con i capelli corti _____
P. Quell'uomo basso _____

24) Scegli la preposizione giusta.

1. Oggi ci sono 40 gradi: muoio DI/IN/DA caldo.
2. Soffro molto PER LA/DAL/CON LA ferita alla gamba.
3. Le strade sono chiuse PER LA/DELLA/DI neve.
4. L'aeroporto è chiuso PER/SUI/DI lavori.
5. Oggi devo andare a Roma PER/DEL/DI lavoro.
6. Non posso studiare PER IL/DEL/NEL mal di testa.
7. PER LA/DELLA/NELLA tensione, a volte non riesco a mangiare.

25) Scegli la preposizione giusta e poi indica cosa introduce.

	CAUSA	FINE	LUOGO	TEMPO
1. Sto studiando PER/DAL/IN imparare l'italiano.		X		
2. Vado in Italia A/DI/DA studiare.				
3. Quando ci sono 40° tutti stanno male DAL/IN/DEL caldo.				
4. Stasera vado IN/A/DA pizzeria con i miei amici.				
5. Marco è un ragazzo DA/DI/CON Roma.				
6. Oggi i treni sono fermi DALLO/NELLO/PER LO sciopero.				
7. Vado 10 minuti PER/DA/TRA Andrea.				
8. Marco sta gridando DI/A/PER gioia.				
9. Sono nato IN/NEL/A 1970.				
10. Rosa è andata in banca PER/FRA/DAL lavoro.				
11. Marco è stato in Africa NEL/PER/AL 1999.				

26) Gioco.

Uno o due studenti sono invitati ad uscire dall'aula. Gli altri studenti devono decidere un'accusa contro chi è uscito.

Per esempio:

- Perché non studi?

- Perché sei arrivato tardi?

- Perché ti sei comportato male con i tuoi amici?

- Perché non lavori?

Lo studente o gli studenti usciti quando rientrano in classe devono spiegare le cause del loro comportamento e giustificarsi. Alla fine la classe decide se le giustificazioni sono valide.

Capitolo 6
I mezzi di trasporto, gli strumenti di lavoro e le relazioni

Con cosa ti muovi?
Le preposizioni che indicano il mezzo di trasporto.

pag. 65

Per introdurre il mezzo di trasporto si usano le preposizioni:

"IN" senza l'articolo e solo con nomi al singolare; → Vado **in** macchina.

"CON" per nomi singolari e plurali. → Andiamo **con la** macchina.

Con "cavallo" e "piedi" si usa
solo la preposizione semplice **"A"**. → Vado **a** piedi. Vado **a** cavallo.

Con cosa lo fai?
Le preposizioni che indicano gli strumenti di lavoro.

pag. 67

Gli strumenti che usiamo per lavorare
o per fare le cose di tutti i giorni sono → Lavoro **con** il computer.
introdotti dalla preposizione articolata **"CON"**.

Come comunichi?
Le preposizioni che indicano i mezzi per comunicare.

pag. 69

I mezzi che usiamo come strumento per comunicare possono essere introdotti:
1) dalla preposizione semplice **"PER"** (più usato). → Ho mandato il testo **per** fax.
2) o dalla preposizione articolata **"CON"** (meno usato). → Ho mandato il testo **con il** fax.

Con chi stai?
Le preposizioni che indicano l'unione di due persone o di due oggetti.

pag. 70

Per indicare che due persone o cose sono insieme
si usa la preposizione **"CON"**. → Io abito **con** Grace.

Rivediamo tutto
Esercizi di ricapitolazione.

pag. 71

Con cosa ti muovi?
Le preposizioni che indicano il mezzo di trasporto.

1) **Rispondi e poi fai le domande a un tuo compagno.**
Per rispondere puoi usare queste espressioni:

| a piedi | a cavallo | in bicicletta | in macchina | con il treno | in aereo | in autobus |

Come sei venuto a scuola?
Con che mezzo sei andato a fare la spesa l'ultima volta?
Come sei andato in vacanza l'anno scorso?
Come ti muovi quando esci la sera?
Con che mezzo preferisci muoverti quando fai dei lunghi viaggi?

2.1) **Leggi.**

Breve storia del trasporto.

Sicuramente il primo mezzo di trasporto sono state le gambe. Gli uomini hanno viaggiato a piedi per milioni di anni. Poi qualcuno ha cominciato ad andare a cavallo e, per molti secoli, i grandi viaggi via terra sono stati fatti con il cavallo. Il mare è stato attraversato con le navi a partire dal 3.000 a.C.
I moderni mezzi di trasporto hanno pochi secoli. I primi lunghi viaggi in treno sono dell'800, e la gran parte dell'umanità ha cominciato solo nel '900 a viaggiare in bicicletta e in automobile. I viaggi con l'aereo hanno qualche decina d'anni e quelli con i missili... devono ancora cominciare.

2.2) **Collega le frasi come nell'esempio.**

1. I primi uomini viaggiavano
2. Poi hanno cominciato ad andare
3. Il mare si attraversa
4. Dall'800 si può viaggiare
5. Solo nel '900 sono iniziati i viaggi
6. Da pochi anni gli uomini si muovono
7. Fra poco viaggeremo

a. **in** macchina e **in** bicicletta.
b. **con** l'aereo.
c. **con** le astronavi.
d. **a** piedi.
e. **a** cavallo.
f. **con** la nave.
g. **in** treno.

3) **Inserisci le preposizioni.**

1. Vado _____ cavallo.
2. Federica va a scuola _____ piedi.
3. Mario e Maria vanno a lavorare ___ bicicletta.
4. Giacomo è arrivato oggi _____ treno.

5. Luciano viene dagli Stati Uniti _____ aereo.
6. Quest'estate andiamo su un'isola greca _____ nave.
7. I viaggi sulla luna si faranno _____ astronavi.

4) **Quali preposizioni si usano in italiano per introdurre il mezzo di trasporto?**

5) **Scrivi tu la regola.**

Per introdurre il mezzo di trasporto si usano le preposizioni:

[　] senza l'articolo e solo con nomi al singolare;　→　Vado [　] macchina.

[　] per nomi singolari e plurali.　→　Andiamo [　][　] macchina.

Con "cavallo" e "piedi" si usa
solo la preposizione semplice [　].　→　Vado [　] piedi. Vado [　] cavallo.

6) **Hai deciso che per le vacanze farai il giro d'Italia con tanti mezzi diversi: la bicicletta, la macchina, il treno, la nave, l'aereo, il cavallo. Programma le tappe del tuo viaggio.**

Programma di viaggio

Prima tappa: Torino – Milano　　Da Torino a Milano andrò _____

Seconda tappa: Milano – Venezia　_____

Terza tappa: Venezia – Bologna　_____

Quarta tappa: Bologna – Firenze　_____

Quinta tappa: Firenze – Siena　_____

Sesta tappa: Siena - Roma　_____

Settima tappa: Roma – Napoli　_____

Ottava tappa: Napoli – Palermo　_____

Nona tappa: Palermo – Cagliari　_____

Decima tappa: Cagliari – casa tua　_____

Con cosa lo fai?
Le preposizioni che indicano gli strumenti di lavoro.

7)   **Guarda i disegni e completa le frasi.**

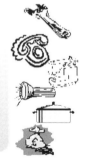

1. Maria lavora tutto il giorno con il computer.
2. Il signor Arco sta disegnando _____ la matita.
3. Filippo gioca con il pallone.
4. Mario pulisce la casa _____ la scopa.

8)   **Collega come nell'esempio.**

1. L'impiegato lavora
2. Sto cucinando
3. Il banchiere lavora
4. L'operaio lavora
5. La sarta lavora
6. Quando manca la luce si cercano le cose

a. con la chiave inglese
b. con il telefono
c. con la macchina da cucire
d. con la torcia
e. con la pentola a pressione
f. con i soldi

9)   **Quale preposizione introduce il mezzo usato per lavorare
o per fare le cose di tutti i giorni?**

10)   **Scrivi tu la regola.**

Gli strumenti che usiamo per lavorare
o per fare le cose di tutti i giorni sono   →   Lavoro ☐ il computer.
introdotti dalla preposizione articolata ☐.

11) Con cosa passa la giornata Filippo? Trova lo strumento giusto per ogni momento e completa le frasi con i nomi degli oggetti disegnati.

Alle 7,30 si sveglia con la sveglia.

1. Poi si lava i denti con _____
2. Si fa la doccia _____
3. Si asciuga _____
4. Si asciuga i capelli _____
5. Si pettina _____
6. Si fa la barba _____
7. Si prepara il caffè _____
8. Va in ufficio _____
9. Lavora tutto il giorno _____
10. Quando esce fa un po' di sport _____
11. Poi va al ristorante e paga _____

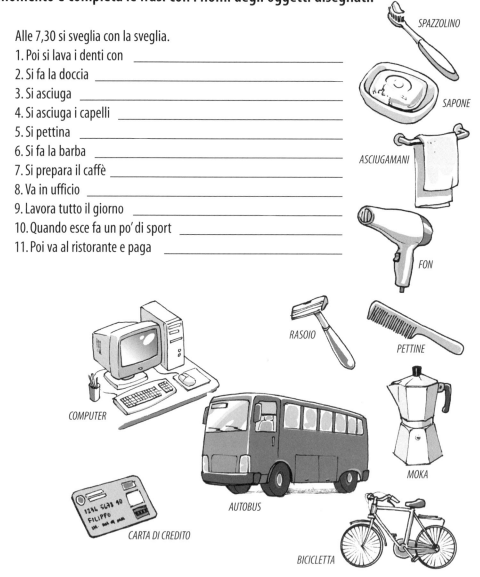

SPAZZOLINO

SAPONE

ASCIUGAMANI

FON

RASOIO

PETTINE

COMPUTER

MOKA

CARTA DI CREDITO

AUTOBUS

BICICLETTA

12) Gioco a squadre.

La classe è divisa in due squadre. Inizialmente ogni squadra scrive una lista di 10 oggetti che si usano nella vita quotidiana (es.: pettine, sapone, telefono). Poi a turno le due squadre si interrogano con la frase: "Cosa si fa con … (es.: il sapone)?". Se gli avversari rispondono bene prendono un punto.

Come comunichi?
Le preposizioni che indicano i mezzi per comunicare.

13) **Completa le frasi come nell'esempio.**

Chi trasporta le tue lettere? La posta   *Mando le lettere per posta.*
Chi trasporta i tuoi pacchi?Il corriere*   1. Spedisco _____
Chi trasporta i tuoi messaggi? Il fax   2. Invio _____
Chi trasporta la tua voce? Il telefono   3. Parlo per telefono.

* corriere

14) **Leggi la regola.**

> I mezzi che usiamo come strumento per comunicare possono essere introdotti:
> 1) dalla preposizione semplice **"PER"** (più usato).   → Ho mandato il testo **per** fax.
> 2) o dalla preposizione articolata **"CON"** (meno usato). → Ho mandato il testo **con il** fax.

15) **Inserisci la preposizione giusta usando "CON" o "PER".**

1. Maria sta parlando _____ telefono con Mario.
2. Io lavoro molto _____ il telefono.
3. Se mi mandi un messaggio _____ fax arriva subito.
4. Gianni lavora molto _____ il computer.
5. _____ posta i pacchi arrivano in una settimana. _____ corriere in un giorno.
6. Scrivo le lettere _____ una penna che mi ha regalato Giorgio.

16) **La preposizione "PER" ha molti significati. Sai dire quali? Completa la tabella.**

	"PER" indica il luogo	"PER" indica il fine o la causa	"PER" indica il mezzo di comunicazione
1. Ti mando una lettera **per** posta.			X
2. Ieri, **per** strada ho trovato molto traffico.			
3. **Per** non ingrassare devo mangiare pochi dolci.			
4. Non buttare le carte **per** terra.			
5. Devo andare in America **per** lavoro.			
6. **Per** venire qui ho preso l'autobus.			
7. Non ascolto mai le partite di calcio **per** radio.			
8. Mi hanno detto **per** telefono che mia mamma era partita.			

Con chi stai?

Le preposizioni che indicano l'unione di due persone o di due oggetti.

QUESTA È UNA FOTO DI MARIA.

QUESTA È UNA FOTO DI MARIO.

QUESTA È UNA FOTO DI MARIA CON MARIO.

17.1) Rispondi alle domande.

Ieri, con chi hai passato la serata? _____

Con chi abiti? _____

Con chi hai mangiato oggi? _____

Con chi vorresti andare in vacanza? _____

Con chi lavori? _____

Con chi studi? _____

17.2) Ora fai le stesse domande al tuo compagno.

18) Quale preposizione si usa per dire "insieme"?

19) Scrivi tu la regola.

Per indicare che due persone o cose sono insieme si usa la preposizione ☐ .   →   Io abito ☐ Grace.

20) Inserisci le preposizioni "IN", "CON", "A".

1. Domani Maria andrà _____ Milano _____ macchina _____ Mario.
2. Sono stato tutto il giorno _____ bar _____ Massimo.
3. Il pollo si mangia _____ le mani, la minestra _____ il cucchiaio e la bistecca _____ il coltello e la forchetta.
4. Rita è andata _____ Perù _____ Stefano.
5. _____ te andrei anche _____ Polo Nord.
6. _____ chi vai _____ vacanza quest'anno?
7. _____ Marco, e tu?
8. Io _____ Giuliana.

Rivediamo tutto
Esercizi di ricapitolazione.

21) **In ognuno di questi quattro testi mancano 3 preposizioni.**
Sai inserirle al posto giusto?

1. Tutte le mattine vado lavorare autobus, ma stamattina ho deciso di andare piedi. Allora mi sono alzato alle 6, ho fatto la doccia, ho mangiato qualcosa e sono uscito.

2. Ho capito che studiare il tedesco devo andare un po' Germania e allora ho deciso di fare una vacanza - studio vicino Berlino.

3. - Buongiorno, Lei è il signor Tommasi?
   - Sì.
   - Mi può dare il suo indirizzo? Lei è Roma, vero?
   - No. Vengo Napoli. Sono qui per parlare il signor Andreoli.

4. - Domani vado Barcellona.
   - Vai aereo?
   - No, vado macchina.

22) **Inserisci la preposizione giusta.**

Due impiegati sono al telefono.
1. - Mi puoi mandare _____ posta il contratto del signor Rossi?
2. - Non posso mandartelo _____ fax?
3. - No. Ho bisogno dell'originale per portarlo _____ banca.
4. - Va bene allora adesso esco subito e passo _____ la posta.

23) **Collega le frasi come nell'esempio.**

1. Quest'estate Hans vuole fare il giro d'Italia **in** bicicletta.
2. Quest'estate Hans vuole venire **in** Italia.
3. Ieri sono andato a cena **con** Anna.
4. Ieri sono andato a cena **da** Anna.
5. Di solito vado a lavorare **con** l'autobus.
6. Mario lavora molto **con** il computer.
7. L'anno scorso ho fatto un viaggio **per** nave.
8. Gino è rimasto a letto con l'influenza **per** tre giorni.
9. Domani ti mando i soldi **per** l'affitto.
10. Domani ti mando i soldi dell'affitto **per** posta.

a. la preposizione indica il luogo.

b. la preposizione indica il mezzo di trasporto.

c. la preposizione indica il tempo.

d. la preposizione indica il mezzo per comunicare.

e. la preposizione indica il fine dell'azione.

f. la preposizione indica lo strumento di lavoro.

g. la preposizione vuol dire "insieme a".

Capitolo 7
Il modo di essere

In che modo?
Le preposizioni che indicano com'è qualcuno o qualcosa.
pag. 74

Per spiegare in che modo è o è fatta una cosa o una persona si possono usare:

1) la preposizione **"CON"**.   →   La casa ha un giardino **con** fiori e **con** piante di tutti i tipi.
2) la preposizione **"DA"**.   →   Maria è una donna **dall'**aspetto elegante.
3) la preposizione **"A"**.   →   La casa di Maria è **a** due piani.

Un ragazzo con la camicia
Il modo di essere con la preposizione "CON".
pag. 75

Per spiegare in che modo è qualcuno
o qualcosa si può usare la preposizione **"CON"**.   →   Oggi sono vestito **con** una camicia rossa.

Un signore dal naso lungo
La preposizione "DA" con il significato di "con","che ha".
pag. 76

Per spiegare in che modo è qualcuno o qualcosa,   Un ragazzo **dai** capelli neri.
si può usare la preposizione articolata **"DA"**   →   (= Un ragazzo con i capelli neri.)
con il significato di "con", "che ha".   (= Un ragazzo che ha i capelli neri.)

Una faccia da bravo ragazzo
La preposizione "DA" con il significato di "come".
pag. 77

Per spiegare in che modo è qualcuno o
qualcosa, si può usare la preposizione **"DA"**   →   Federica ha un vestito **da** vera signora.
con il significato di "come".   (= Federica ha un vestito come una vera signora.)

Una cena da ricordare
Il modo di essere con "DA" + l'infinito.
pag. 78

Per spiegare in che modo è qualcuno o qualcosa,
si può usare, davanti a un verbo
all'infinito, la preposizione semplice **"DA"**   →   Questa è una cena **da** ricordare.
con il significato di "che bisogna".   (= Questa è una cena **che bisogna** ricordare.)

Una camicia a fiori
La preposizione "A" con il significato di "con","che ha".

> Per spiegare in che modo è qualcuno o qualcosa,   Una camicia **a** fiori.
> si può usare la preposizione semplice **"A"**   ➔   (= Una camicia con i fiori.)
> con il significato di "con", "che ha".   (= Una camicia che ha i fiori.)

Una barba alla Lenin
La preposizione "ALLA" con il significato di "come","con lo stile di".

> La preposizione articolata **"ALLA"** seguita dal nome
> di un personaggio famoso, di un certo tipo di persone, ➔ Voglio una vita **alla** Steve Mc Queen.
> di un libro, o di un film significa "con lo stile di" , "come".

Spaghetti alla bolognese
La preposizione "ALLA" con i nomi dei piatti tipici significa "come","come a".

> La preposizione articolata **"ALLA"** si può usare per indicare un piatto tipico:
>
> di una certa città.   ➔   Spaghetti **alla** bolognese.
> di una certa zona.   ➔   Pasta **alla** siciliana.
> di un certo tipo di persone.   ➔   Riso **alla** pescatora. Spaghetti **alla** carbonara.
>
> In questi casi **"A"** vuol dire "come","come a".

Gelato al limone
La preposizione articolata "A" quando indica con cosa
sono cucinati i piatti significa "con".

> Per indicare <u>con cosa</u> sono cucinati i piatti, si usa la preposizione articolata **"A"**.
>
> In questo caso **"A"** vuol dire "con".   ➔   Pasta **al** sugo.

Due parole e una preposizione
Le preposizioni "DA" e "A" quando uniscono due parole
e creano una parola nuova.

> Molti nomi sono formati da due parole   ➔   Barca **a** vela.
> unite dalle preposizioni **"A"** e **"DA"**.   ➔   Macchina **da** corsa.

Rivediamo tutto
Esercizi di ricapitolazione.

In che modo?
Le preposizioni che indicano com'è qualcuno o qualcosa.

1.1)   Leggi.

Una famiglia

La signora Maria è una bella donna di cinquant'anni dall'aspetto elegante. Maria abita in una bella casa a due piani con grandi finestre e un bel giardino con fiori e con piante di tutti i tipi. I suoi figli si chiamano Giacomo, Antonia e Federica. Giacomo è una ragazzo di ventidue anni dai capelli biondi e lunghi, studia all'università di Siena. Antonia e Federica sono due gemelle di diciott'anni; le due ragazze studiano al liceo di Sorano.

1.2)   Collega le frasi come nell'esempio.

1. Maria è una signora
2. Abita in una bella casa
3. La casa ha un giardino
4. Giacomo è un ragazzo

a. **a** due piani **con** grandi finestre.
b. **dall**'aspetto elegante.
c. **dai** capelli biondi e lunghi.
d. **con** fiori e **con** piante di tutti i tipi.

1.3)   Quali preposizioni sono state usate nel testo per dire: com'è Maria, in che modo è fatta la sua casa, com'è Giacomo?

2)   Scrivi tu la regola.

Per spiegare in che modo è o è fatta una cosa o una persona si possono usare:

1) la preposizione ☐ .   →   La casa ha un giardino ☐ fiori e ☐ piante di tutti i tipi.
2) la preposizione ☐ .   →   Maria è una donna ☐ aspetto elegante.
3) la preposizione ☐ .   →   La casa di Maria è ☐ due piani.

3)   Ora riscrivi le frasi, come nell'esempio, utilizzando la preposizione "DA" al posto della preposizione "CON". Attento alle preposizioni articolate.

Es.: Mario è un signore con il viso simpatico.   *Mario è un signore dal viso simpatico.*

1. Studio in una scuola con grandi finestre.   _____
2. Marco ha una macchina con il motore molto potente.   _____
3. Giacomo è un ragazzo di ventidue anni con i capelli biondi.   _____
4. Antonia è una ragazza con gli occhi verdi.   _____

Un ragazzo con la camicia
Il modo di essere con la preposizione "CON".

UN RAGAZZO

UN RAGAZZO
CON LA CAMICIA

LA CAMICIA

4.1) Rispondi a queste domande.

1. Com'è vestito il signor Rossi?   Con una camicia e con i pantaloni.
2. E tu, come sei vestito/a?   _____
3. Com'eri vestito/a ieri sera?   _____
4. In che modo ti vestivi da bambino/a?   _____
5 Com'è vestito/a l'insegnante?   _____
6. Com'è la camera da letto di Franca?   È una stanza con un letto, con un tavolo e con tanti fiori.
7. Com'è la tua camera da letto?   _____
8. Com'è la tua aula?   _____

4.2) Ripeti le stesse domande al tuo compagno.

5) Scrivi tu la regola.

Per spiegare in che modo è qualcuno o qualcosa si può usare la preposizione ☐ . → Oggi sono vestito ☐ una camicia rossa.

6) Il signor Forte Veloce è un campione di karate. Completa le frasi con l'espressione giusta e conoscerai i suoi consigli per avere successo nelle gare.

Per essere un bravo campione di karate:

bisogna allenarsi con impegno;   *(impegno / pigrizia)*
1. si deve combattere _____; (paura / coraggio)
2. bisogna studiare l'avversario _____; (attenzione / fretta)
3. è bene accettare di perdere _____; (spirito sportivo / rabbia)
4. è importante saper vincere _____. (rispetto / disprezzo)

Un signore dal naso lungo
La preposizione "DA" con il significato di "con","che ha".

7) **Rispondi alle domande come nell'esempio.**

Es: - Com'è quel signore? (naso lungo)   *- Ma, non so. È un signore **dal** naso lungo.*
     *- Ma, non so. È un signore **con il** naso lungo.*   *- Ma, non so. È un signore **che ha** il naso lungo.*

1. - Com'è la ragazza che hai conosciuto ieri? *(occhi neri)*   5. - Quanto è grande l'autobus? *(50 posti)*
2. - Com'è vestita quella donna? *(pantaloni verdi)*   6. - Com'è quel signore? *(occhi a mandorla)*
3. - Mi parli di quel ragazzo? *(capelli biondi)*   7. - E quella signora? *(pelle nera)*
4. - Cosa mi dici di questa macchina? *(motore molto potente)*

8) **Il tuo cane non è tornato a casa: decidi di andare a cercarlo e chiedi di lui.**
Completa le frasi con le parole della lista come nell'esempio.

Es.:- Scusi, ha visto un cane bianco dal muso lungo? | muso lungo X |
1. - Scusi, ha visto un cane bianco _____ ? | gambe corte |
2. - Scusi, ha visto un cane bianco _____ ? | occhi grandi |
3. - Scusi, ha visto un cane bianco _____ ? | orecchie piccole |
4. - Scusi, ha visto un cane bianco _____ ? | coda nera |

9) **Scrivi tu la regola.**

Per spiegare in che modo è qualcuno o qualcosa,   Un ragazzo [ ] capelli neri.
si può usare la preposizione articolata [ ]   →   *(= Un ragazzo con i capelli neri.)*
con il significato di "con", "che ha".   *(= Un ragazzo che ha i capelli neri.)*

10) **Ora cerchi il tuo amico Roberto.**

Ripeti a voce alta con le parole della lista come nell'esempio.

| capelli biondi X | occhi neri | accento napoletano | pelle chiara | carattere dolce |

Es.: - Scusi non ha incontrato un ragazzo dai capelli biondi?

11) **Scegli la preposizione giusta.**

- Scusi ha visto un ragazzo DAI/DEI/IN capelli biondi e IN/DA/CON LA giacca di pelle?
- Forse sì. È un tipo alto NELLA/DALLA/DELLA pella chiara?
- Sì, è lui. Ha visto dov'è andato?
- È entrato in quel bar con una bella ragazza. Sì, bella e DALL'/DELL'/IN aspetto elegante.
- Grazie.

Una faccia da bravo ragazzo
La preposizione "DA" con il significato di "come".

12) **Sostituisci, nelle frasi a. e b., la preposizione semplice "DA" con "come un/una".**

a. Quest'uomo ha lo sguardo da mafioso.
_____

b. Antonia ha un aspetto da signora.
_____

13) **Descrivi queste persone con le parole della lista.**

riccone
bravo ragazzo
cowboy
musicista rock
pazzo

1. Com'è la faccia di Giacomo?
_____

2. Com'è il vestito di Giovanna?
_____
_____

5. Come sono gli stivali di questa ragazza?
_____
_____

4. Come sono gli occhi di quest'uomo?
_____

3. Com'è la macchina di Mario?
_____

14) **Scrivi tu la regola.**

Per spiegare in che modo è qualcuno o qualcosa, si può usare la preposizione ☐ → con il significato di "come".

Federica ha un vestito ☐ vera signora.
(= Federica ha un vestito come una vera signora.)

15) **Descrivi un tuo amico o un tuo compagno e cerca di usare la preposizione DA.**

_____
_____
_____
_____

Una cena da ricordare
Il modo di essere con "DA" + l'infinito.

16.1) Leggi.

Non tutti i pasti sono uguali. Ci sono piatti da gustare con attenzione perché il loro sapore è delicato e particolare. Altri piatti sono proprio da mangiare in un boccone, magari per correre subito a lavorare. Alcuni pranzi sono momenti da ricordare per tutta la vita, come il pranzo del proprio matrimonio; altri sono decisamente da dimenticare. Per esempio quando ci si incontra per l'ultima volta con il proprio partner per decidere che la storia è veramente finita. Ci sono pasti tutti da ridere: vi è mai capitato di bere troppo? O da piangere: può succedere di invitare qualcuno per una cena romantica e di scoprire che l'arrosto è bruciato, che la panna delle torta non è buona, che avete dimenticato di mettere il sale nella pasta, e che il vino che avete comprato... sa di tappo*. Insomma ci sono pasti di tutti i tipi e soprattutto per tutti i gusti.
ha il sapore del tappo della bottiglia

16.2) Come vengono definiti i piatti, i pasti e le cene nel testo?

1. Ci sono piatti   _____
2. Altri piatti sono   _____
3. Alcuni pranzi sono   _____
4. Altri sono   _____
5. Ci sono pasti   _____
6. O   _____

17) Scrivi le definizioni come nell'esempio.

1. Un vino molto buono, che bisogna bere.   Un vino da bere.
2. Un film molto bello, che bisogna vedere.   _____
3. Un libro particolare, che bisogna leggere.   _____
4. Un bambino molto dolce, che bisogna amare.   _____
5. Una storia strana, che fa ridere.   _____
6. Una storia brutta, che bisogna dimenticare.   _____

18) Scrivi tu la regola.

Per spiegare in che modo è qualcuno o qualcosa, si può usare, davanti a un verbo all'infinito, la preposizione semplice [   ] → Questa è una cena [   ] ricordare. con il significato di "che bisogna".
(= Questa è una cena **che bisogna** ricordare.)

Una camicia a fiori
La preposizione "A" con il significato di "con", "che ha".

19) **Guarda i disegni e leggi le frasi. Poi completa la tabella e indica con una X se gli oggetti sono "a righe", "a quadri", o "a fiori" (sono possibili più soluzioni).**

Antonia è vestita con dei pantaloni a righe.

	a righe	a fiori	a quadri
1. Il pigiama			
2. Le strisce pedonali			
3. La camicia			
4. La tovaglia			
5. La tenda			
6. La scacchiera			
7. Il quaderno			
8. Le parole crociate			

Federica ha una gonna a fiori e una camicia a quadri.

20) **Scrivi tu la regola.**

Per spiegare in che modo è qualcuno o qualcosa, si può usare la preposizione semplice ☐ con il significato di "con", "che ha". → Una camicia ☐ fiori.
(= Una camicia con i fiori.)
(= Una camicia che ha i fiori.)

21) **Conosci le bandiere? Scegli dalla lista i colori giusti e completa le frasi come nell'esempio.**

strisce bianche, rosse e verdi	X
strisce blu, bianche e rosse	
stelle e strisce	
strisce nere, gialle e rosse	
strisce bianche e gialle	

Es.: La bandiera italiana è a strisce bianche, rosse e verdi.

1. La bandiera francese è _____.
2. La bandiera tedesca è _____.
3. La bandiera americana è _____.
4. La bandiera del Vaticano è _____.

Una barba alla Lenin

La preposizione "ALLA" con il significato di "come", "con lo stile di".

Voglio una vita spericolata, voglio una vita alla Steve Mc Queen.... (canzone di Vasco Rossi)

22.1) Completa le frasi come nell'esempio.

1. Questo signore con i capelli **alla** Rodolfo Valentino è Mario.

2. Giacomo porta degli occhiali scuri _____ Blues Brothers.

3. Federica sogna un'avventura _____ Indiana Jones.

22.2) Riscrivi le frasi 1, 2, e 3 sostituendo la preposizione articolata "A" con "come".

1. _____
2. _____
3. _____

23) Scrivi tu la regola.

La preposizione articolata [ ] seguita dal nome di un personaggio famoso, di un certo tipo di persone, → Voglio una vita [ ] Steve Mc Queen. di un libro, o di un film significa "con lo stile di", "come".

24) Completa come nell'esempio.

1. *(Elvis Presley)* Giacomo canta **alla** Elvis Presley.
2. *(Marinara)* Susanna si veste _____
3. *(Lenin)* Roberto ha una barba _____
4. *(Hemingway)* Sto scrivendo un libro _____

Spaghetti alla bolognese

La preposizione "ALLA" con i nomi dei piatti tipici significa "come", "come a".

25) **Completa le frasi come nell'esempio.**

Gli spaghetti, fatti come si usa a Bologna, si chiamano spaghetti **alla** bolognese.

Le melanzane, fatte come si usa a Parma, si chiamano melanzane _____ parmigiana.

Il pesce, fatto come si usa a Livorno, si chiama pesce _____ livornese.

26) **Sei al ristorante e il cameriere ti chiede cosa vuoi mangiare. Rispondi alla domanda come nell'esempio.**

1. Le vongole cucinate come a Venezia. (veneziana)
   - *Vorrei le vongole alla veneziana.*

2. La bistecca che si fa a Firenze. (fiorentina)
   _____

VONGOLE

3. La pasta come la fanno a Genova. (genovese)
   _____

4. Il risotto di Milano. (milanese)
   _____

27) **Cosa indica la preposizione articolata "ALLA" negli esercizi 25 e 26?**

28) **Scrivi tu la regola.**

La preposizione articolata ☐ si può usare per indicare un piatto tipico:

di una certa città. → Spaghetti ☐ bolognese.

di una certa zona. → Pasta ☐ siciliana.

di un certo tipo di persone. → Riso ☐ pescatora. Spaghetti ☐ carbonara.

In questi casi **"A"** vuol dire "come", "come a".

Gelato al limone

La preposizione articolata "A" quando indica con cosa sono cucinati i piatti significa "con".

29) Guarda i disegni e rispondi alle domande.

PASTA AL SUGO   *SCALOPPINE AL VINO BIANCO*   *TÈ ALLA MENTA*

ANATRA ALL'ARANCIA   *TORTA AL LIMONE*   *GELATO ALLA FRAGOLA*

1. Com'è la pasta?   Al _____
2. Con cosa è cucinata l'anatra?   Con l'_____
3. E le scaloppine?   Con il _____
4. Cosa c'è nella torta?   Il _____
5. Che sapore ha il gelato?   Di _____
6. Com'è il tè?   Alla _____

30) Scrivi tu la regola.

Per indicare <u>con cosa</u> sono cucinati i piatti, si usa la preposizione articolata ☐ .

In questo caso **"A"** vuol dire "con". → Pasta ☐ sugo.

31) Devi scrivere il menù di un ristorante. Che nome daresti ai piatti?

Primi	1. Tagliatelle come sono fatte a Bologna.	_____
	2. Spaghetti con le vongole.	_____
Secondi	3. Carne cotta con il sugo di pomodoro.	_____
	4. Pesce cucinato con il brodo di fagioli.	_____
Contorni	5. Carciofi come sono cucinati a Roma.	_____
	6. Patate con il burro.	_____
	7. Insalata condita con l'aceto balsamico.	_____
Dolci	8. Torta con le mele.	_____
	9. Torta con il cioccolato.	_____
	10. Gelato con la crema.	_____

Due parole e una preposizione
Le preposizioni "DA" e "A" quando uniscono
due parole e creano una parola nuova.

32) **Devi partire per un viaggio: quali di questi oggetti metteresti nella valigia? Metti una croce accanto agli oggetti che ti interessano.**

☐ SACCO A PELO

☐ SCARPE DA GINNASTICA

☐ CARTA DA LETTERA

☐ TUTA DA GINNASTICA

☐ CAMICIA DA NOTTE

☐ GIACCA A VENTO

☐ GUANTI DA SCI

☐ SCARPONI DA MONTAGNA

☐ VESTITO DA SERA

☐ OCCHIALI DA SOLE

☐ COSTUME DA BAGNO

☐ SPAZZOLINO DA DENTI

33) **Lavora con un compagno. Cerca di indovinare quali oggetti ha messo in valigia. Se indovini prendi un punto e puoi cercare di indovinare un secondo oggetto, altrimenti cambia il turno. Vince chi arriva prima a quattro punti.**

34) **Leggi la lista e scrivi cosa ti piace e cosa non ti interessa.**

	MI PIACE	NON MI INTERESSA
1. Macchina da corsa	_____	_____
2. Barca a vela	_____	_____
3. Barca a motore	_____	_____
4. Cavallo da corsa	_____	_____
5. Moto da strada	_____	_____
6. Sala da ballo	_____	_____
7. Tabacco da pipa	_____	_____

35) **Scrivi tu la regola.**

Molti nomi sono formati da due parole	→	Barca ☐ vela.
unite dalle preposizioni ☐ e ☐.	→	Macchina ☐ corsa.

Rivediamo tutto
Esercizi di ricapitolazione.

36) **In questo dialogo mancano tre preposizioni ("CON","CON" e "A").**
    Riscrivilo correttamente (attenzione agli articoli).

> - Conosci Giorgio?
> - Chi? Quel ragazzo capelli lunghi?
> - Sì.
> - Allora l'ho visto. Oggi è vestito pantaloni di cotone strisce bianche e verdi.

37) **In questo dialogo mancano tre preposizioni ("A" "DA" e "A").**
    Riscrivilo correttamente (attenzione alle preposizioni articolate).

> - Com'è il gatto di Maria?
> - È macchie grigie e nere.
> - E il gatto di Franco?
> - Quello è un gatto bellissimo coda lunghissima, nera macchie rosa.

38) **In questo dialogo mancano tre preposizioni ("A","A" e "A"). Riscrivilo correttamente.**

> - Hai visto la nuova macchina di Massimo?
> - No. Com'è?
> - È gas.
> - Perché ha comprato una macchina gas?
> - Perché il modello benzina costava troppo.

39) **Completa la tabella.**

	"CON" indica il modo	"CON" vuol dire insieme	"CON" indica il mezzo
Stasera uscirei volentieri **con** Anna.		X	
Manda un messaggio **con** una bottiglia.			X
Aspetto **con** pazienza.	X		
1. **Con** il telefono e **con** internet è facile comunicare.			
2. Parto **con** il primo treno.			
3. Alessandro è arrivato **con** un bellissimo mazzo di fiori.			
4. Abbiamo mangiato **con** appetito.			
5. **Con** te ho passato una bellissima serata.			
6. Mi piace uscire **con** gli amici.			
7. Ti saluto **con** simpatia.			

40.1) Leggi

Una storia

- Da quanto tempo vivi qui?
- Da 4 anni, ormai.
- Tu vieni dal Nord, vero?
- Sì.
- E perché ti sei trasferito?
- Credo che sia una storia da dimenticare. Da giovani si fanno delle cose veramente da stupidi.
- Insomma, mi vuoi raccontare questa storia?
- Va bene. Sono di Milano: avevo sempre vissuto lì. E se ci penso mi sembra che allora la mia vita fosse bellissima, da sogno. Lavoravo da un gioielliere, guadagnavo bene. Mi ero appena comprato una moto nuova, una Kawasaki da strada. Avevo anche trovato una ragazza, si chiamava Mara, ero molto innamorato. Lei era ricca, alta, il classico tipo mediterraneo dagli occhi neri e profondi ma soprattutto era una persona dalla fantasia infinita. Una sera io e Mara eravamo fuori e non sapevamo che fare.

- E invece cosa avete fatto?
- Una rapina!
- Una rapina?
- Sì. Mara mi ha proposto di rubare nella gioielleria dove lavoravo.
- E tu l'hai fatto?
- Io l'ho seguita. Siamo entrati nella gioielleria con le mie chiavi. Ma appena entrati è arrivata una macchina della polizia e...
- Ho capito. Ma perché hai cambiato città?
- Il giudice non ci ha voluto mandare in prigione, ma ci ha messo in due comunità per ragazzi. Io sono venuto a Firenze e ho ricominciato qui la mia vita.
- E hai rivisto Mara?
- No. Da allora non l'ho più vista.

40.2) La preposizione "DA" ha molti usi: può indicare il modo, il luogo o il tempo in cui è fatta una cosa o una persona. Sai distinguerli? Trova nel testo 40.1) tutte le frasi con "da" e mettile nel contenitore giusto, come nell'esempio.

"DA" indica il modo	"DA" indica il luogo	"DA" indica il tempo
		Da quanto tempo vivi qui?

41) Indica il significato della preposizione "A", come negli esempi.

	"A" vuol dire "COME".	"A" vuol dire "CON".	"A" vuol dire "FATTO COME A".
Maria cucina benissimo l'anatra **all'**arancia.		X	
Maria non sa cucinare il risotto **alla** milanese.			X
Mario ha i capelli **alla** Rodolfo Valentino.	X		
1. Voglio una vita **alla** Steve Mc Queen.			
2. La barca **a** vela è di Mario.			
3. Oggi abbiamo pasta **al** ragù e pollo **al** Marsala.			
4. Ti piace la bistecca **alla** fiorentina?			
5. Maria ha una casa **a** due piani.			
6. Matteo disegna con uno stile **alla** Andy Warhol.			
7. Mi piace molto il pesce cucinato **alla** livornese.			

42) Scegli la preposizione giusta.

Io lavoro in banca. Qualche giorno fa, ho dato a Rosa, la mia segretaria, una lettera importante DA/DI/A portare al professor Stelluti, un nostro cliente.

Il professore è veramente un tipo DA/CON/DI premio Nobel, una di quelle persone molto intelligenti ma un po' matte.

Insomma Stelluti è una persona DI/DA/PER ricordare.

Stelluti dopo due ore mi ha telefonato. Era arrabbiato perché da due giorni aspettava un lettera con un contratto DI/A/DA firmare e io non la mandavo.

Io gli ho chiesto se era passata da lui una ragazza CON/DEI/PER i pantaloni A/DA/CON righe.

Lui mi ha risposto che sì, un'impiegata della nostra banca era nel suo ufficio.

- Le ha dato una lettera CON LE/PER LE/DELLE pagine azzurre? - ho chiesto.

- Certo - mi ha risposto Stelluti - ma io non voglio parlare di questa lettera, voglio sapere perchè non mi manda l'altra lettera con il contratto DA/CON/PER firmare.

Insomma era una telefonata DI/DA/A incubo o, se volete, DA/A/PER ridere.

Io ho spiegato con calma che la ragazza PER I/DEI/DAI capelli lunghi, CON/DEI/PER i pantaloni A/DA/CON righe, era Rosa e che la lettera CON LE/PER LE/DELLE pagine azzurre era proprio la lettera DI/DA/PER firmare. Stelluti allora mi ha chiesto scusa e mi ha salutato.

Dopo due giorni ho visto Stelluti in un caffè. Era vestito con scarpe DI/DA/CON tennis bianche con calze di due colori diversi; una calza era A/DA/PER righe gialle e rosse, l'altra A/DA/PER pois verdi. Il professore stava leggendo un libro di Hegel ma quando mi ha visto mi ha salutato e mi ha detto che aveva una lettera DA/CON/PER darmi. Ha aperto la sua borsa e ha preso un lettera d'auguri di Natale:

- Ecco - mi ha detto - questo è il nostro contratto.

Poi tutto felice mi ha offerto qualcosa DI/DA/CON bere.

Capitolo 8
Altri casi delle preposizioni "DI","A","DA"

Di cosa parli?
Le preposizioni che indicano l'argomento.   pag. 89

> Per indicare gli argomenti di cui si parla, si scrive, si legge, si usa:
>
> 1) normalmente la preposizione **"DI"**.   ➔ Aldo parla molto **di** politica.
> 2) e in alcuni casi la preposizione "**SU**".   ➔ Ho letto un libro **sulla** storia antica.

Di chi è "La Divina Commedia"?
Le preposizioni che indicano chi è l'autore di qualcosa.   pag. 90

> L'autore di un film, di un romanzo,
> di un'opera d'arte   ➔ Mi piace molto la musica **di** Verdi.
> è introdotto dalla preposizione **"DI"**.

Di cosa è fatto?
Le preposizioni che indicano la materia con cui è fatto un oggetto.   pag. 91

> Per indicare la materia con cui sono fatti gli oggetti si usa:
>
> la preposizione semplice **"DI"**;   ➔ Ho comprato un orologio **d'**oro.
> e a volte la preposizione semplice **"IN"**.   ➔ Questo mobile è **in** legno di ciliegio.

Le case di Roma
La preposizione "DI" può indicare una cosa che fa parte
di un gruppo più grande.   pag. 92

> Per indicare (specificare) un oggetto
> o una persona che fa parte di un gruppo   ➔ I mobili **del** mio ufficio sono vecchi.
> più grande si usa la preposizione **"DI"**.

Mi dà del pane?
La preposizione "DI" può indicare la quantità.   pag. 93

> Quando viene indicata la quantità
> indefinita di qualcosa   ➔ Mi dà **del** pane, per favore?
> si usa la preposizione **"DI"** con l'articolo.   (= Mi dà un po' di pane, per favore?)

Pensi di essere bella? Credi di essere simpatico?
I verbi seguiti dalla preposizione "DI".

Molti verbi (vedi lista a pag. 95) si usano
nella forma VERBO + **"DI"** + INFINITO. → **Tu pensi di essere** bello?

I paragoni
Le preposizioni usate quando si confrontano due cose o persone.

Quando si confrontano delle persone o delle cose si usano le seguenti preposizioni:

"DI" *(con le parole "più" o "meno" seguite da un aggettivo).* → Mario è più basso **di** Giacomo.
"A" *(quando le persone o le cose sono uguali o simili).* → Mario è uguale **a** Lino.
"DA" *(quando le persone o le cose sono diverse).* → Antonia è diversa **da** Federica.

Di chi è?
Le preposizioni che indicano chi è il proprietario di qualcosa.

Per indicare la proprietà o il possesso
di una cosa si usa la preposizione **"DI"**. → La macchina **di** Mario ha 4 air-bag.

A chi la racconti?
La preposizione "A" e il complemento di termine.

Alcuni verbi sono sempre
seguiti dalla preposizione **"A"**. → Le mamme pensano **ai** bambini*.

* Il nome che segue è chiamato **complemento di termine**.

Quando cominci a studiare?
La forma verbo + "A" + infinito.

Alcuni verbi (vedi lista a pag. 100), quando sono
seguiti dall'infinito, vogliono la preposizione **"A"**. → Comincia **a** studiare.

Sono stata punta da un'ape.
La preposizione "DA" con i verbi alla forma passiva.

La forma passiva del verbo si rende in italiano
con il verbo essere + il participio passato, → Oggi sono stato visitato **dal** dottore.
seguito dalla preposizione **"DA"**.

Di cosa parli?
Le preposizioni che indicano l'argomento.

1.1) **Leggi l'articolo.**

DI COSA PARLANO GLI ITALIANI?

Di cosa parla la gente comune a casa, al bar, al lavoro? Quali sono gli argomenti preferiti dal cittadino medio? L'ISTAT ha fatto una ricerca e alcuni dati sono molto interessanti. Per esempio sembra che il 45% delle donne e il 65% degli uomini parli, con amici e conoscenti, degli argomenti proposti dai grandi media: giornali, radio e televisione. Gli uomini, il lunedì, discutono di calcio nel 78% dei casi. L'80% delle donne parla almeno una volta al giorno dei problemi di salute e dei figli. Gli unici a parlare di musica, di letteratura e di cinema sono i ragazzi e le ragazze sotto i 25 anni: ne parla quotidianamente almeno il 30% degli intervistati. La ricerca è stata fatta nel giugno dello scorso anno e quindi non sembra strano che l'85% della popolazione abbia detto di aver discusso più di una volta al giorno delle prossime vacanze estive.

1.2) **Collega le colonne e ricostruisci le affermazioni del testo.**

1. Il 65% degli uomini parla **degli**
2. L'80% delle donne parla **dei**
3. I ragazzi parlano **di**
4. Il Lunedì, gli uomini nel 78% dei casi discutono **di**
5. L'85% della popolazione ha discusso **delle**

   a. prossime vacanze.
   b. musica.
   c. figli.
   d. argomenti proposti dai media.
   e. calcio.

1.3) **Gioco a squadre. Provate a riscrivere l'articolo cambiando a piacere gli argomenti di cui parla la gente. Usate la fantasia! Vince la squadra che scrive l'articolo più divertente.**

2) **Quali preposizioni sono usate per indicare gli argomenti di cui si parla?**

3) **Scrivi tu la regola.**

Per indicare gli argomenti di cui si parla, si scrive, si legge, si usa:
1) normalmente la preposizione ☐.   → Aldo parla molto ☐ politica.
2) e in alcuni casi la preposizione "**SU**".   → Ho letto un libro **sulla** storia antica.

4) **Cosa si stanno dicendo questi due?**

RIUNIONE AVETE CON PARLATO NELLA DI COSA IL DIRETTORE?

NUOVA SEGRETARIA. DI DEI TELEFONI; MOLTE NUOVI COSE: VENDITE DELLE DELL'ULTIMO MESE E DELLA

5) **A coppie.**

Chiedi al tuo compagno di cosa parla normalmente in famiglia, con gli amici, con il partner.

89

Di chi è "La Divina Commedia"?
Le preposizioni che indicano chi è l'autore di qualcosa.

6) **Conosci la letteratura? Ti piace il cinema? Con le frecce indica chi sono gli autori di questi libri e di questi film.**

1. La "Divina commedia" è il libro più famoso di	a. Shakespeare
2. L'"Ulisse" è un romanzo di	b. Dante
3. "Romeo e Giulietta" è un'opera di	c. Cervantes
4. "Guerra e Pace" è un bellissimo libro di	d. Fellini
5. Un testo famoso della letteratura spagnola è "Don Quijote" di	e. Tolstoij
6. "La dolce vita" è un vecchio film di	f. Joyce

7) **Scrivi tu la regola.**

L'autore di un film, di un romanzo,
di un'opera d'arte
è introdotto dalla preposizione ☐ .

➔ Mi piace molto la musica ☐ Verdi.

8) **Gioco a squadre. Ogni squadra prepara una lista di 10 libri famosi (o 10 canzoni, film, ecc.). Poi interroga gli avversari con la domanda "Di chi è .... (nome del libro)". Chi indovina prende un punto.**

9) **Completa la tabella.**

	Qual è l'argomento?	Chi è l'autore?
1. Mario e Rosa hanno letto molti libri **di Umberto Eco**.	....	Umberto Eco
2. Mario deve preparare un esame **su Umberto Eco**.	Umberto Eco	....
3. Ho letto un libro **di Giulio Cesare**.		
4. Ho letto un libro **su Giulio Cesare**.		
5. Oggi alla televisione c'è un programma **su Benigni**.		
6. Al cinema c'è un film **di Roberto Benigni**.		
7. Ho letto un bell'articolo **di Marco D'Eramo**.		
8. A teatro c'è una commedia **di Shakespeare**.		
9. All'università seguo un seminario **su Dante**.		
10. Alla tv c'è un programma **di Piero Angela**.		

Di cosa è fatto?

Le preposizioni che indicano la materia con cui è fatto un oggetto.

10) **Collega come nell'esempio.**

1. I tavoli e le sedie sono fatti di
2. I palazzi sono di
3. I gioielli sono fatti di
4. Le scarpe sono fatte di
5. I libri sono di
6. I vestiti sono di
7. I bicchieri sono fatti di

a. cotone
b. vetro
c. cuoio
d. oro e argento
e. cemento
f. carta
g. legno

11) **Quale preposizione si usa per indicare con cosa è fatto un oggetto?**

12) **Scrivi tu la regola.**

Per indicare la materia con cui sono fatti gli oggetti si usa:
la preposizione semplice ☐;   → Ho comprato un orologio ☐ oro.
e a volte la preposizione semplice **"IN"**.   → Questo mobile è **in** legno di ciliegio.

13) **Gioco. La classe è divisa in due squadre. Gli studenti hanno dieci minuti per cercare sul vocabolario il significato di questi nomi di materiali:**

alluminio
rame
piombo
acciaio
gomma
legno
cartone
sughero
seta
lino
plastica
cotone
ceramica
lana

**Poi le due squadre a turno chiedono agli avversari:
"Quale cosa è fatta di…?".
Per ogni risposta esatta si guadagna un punto.**

Es: - "Quale cosa è fatta di lana?".
*   - "Il maglione".*

Le case di Roma

La preposizione "DI" può indicare una cosa
che fa parte di un gruppo più grande.

14) **Guarda il disegno: quale preposizione viene usata
per indicare un oggetto che fa parte di un gruppo più grande?**

15) **Scrivi tu la regola.**

Per indicare (specificare) un oggetto
o una persona che fa parte di un gruppo   → I mobili ⬜ mio ufficio sono vecchi.
più grande si usa la preposizione ⬜ .

16) **Gioco. Con un tuo compagno prova a fare un gioco
come quello di questo dialogo. Vince chi fa la frase più lunga.**

Tu - Pensa a una cosa.
Compagno - Il tavolo.
Tu - Quale?
Compagno - Il tavolo del professore.
Tu - Quale professore?
Compagno - Il tavolo del professore di matematica.
Tu - Quale professore di matematica?
Compagno - Il tavolo del professore di matematica del liceo.
Tu - Quale professore di matematica del liceo?
Compagno - Il tavolo del professore di matematica del liceo di Roma.

*Possibili parole per
iniziare il gioco:
la casa;
gli occhiali;
la macchina.*

Mi dà del pane?
La preposizione "DI" può indicare la quantità.

17.1) Leggi. La ricetta delle pesche al limone.

Ingredienti:
1 kg di pesche gialle;
2 limoni; dello zucchero;
1 bicchiere di vino bianco secco.

Come si prepara:
Prendete le pesche, tagliatele a fette, aggiungete del succo di limone, dello zucchero e del vino bianco. Mescolate e mettete in frigorifero. Mangiatele dopo un paio d'ore.

17.2) Trova, nella ricetta delle pesche al limone, tutte le preposizioni che introducono la quantità non definita. Nella tua lingua, quale preposizione si usa per introdurre la quantità non definita?

18.1) Conosci una ricetta? Prova a scriverla.

Ingredienti: Come si prepara:

_____   _____
_____   _____
_____   _____
_____   _____
_____   _____

19) Ora prova a spiegare la tua ricetta a un compagno.

20) Scrivi tu la regola.

Quando viene indicata la quantità indefinita di qualcosa si usa la preposizione [   ] con l'articolo.

→ Mi dà [   ] pane, per favore?
(= *Mi dà un po' di pane, per favore?*)

21) Completa con "DI" o "DA".

1. Avete _____ piatti _____ campeggio?
2. Mio padre mi ha regalato _____ scarpe _____ ginnastica rosse.
3. Ho comprato _____ libri _____ leggere in vacanza.
4. Ho visto _____ bei film la settimana scorsa.
5. Cos'hai comprato _____ mangiare?
6. Ho preso _____ prosciutto e _____ pane.
7. In quel negozio ho visto _____ macchine _____ cucire bellissime.

Pensi di essere bella? Credi di essere simpatico?
I verbi seguiti dalla preposizione "DI"

22.1) Fai il test. Poi controlla quanti punti hai totalizzato.
Alla fine verifica che personalità hai.

PUNTI

I) Quando ti guardi allo specchio:
a. ☐ ti sembra **di** essere sempre bello/a.
b. ☐ ti sembra **di** essere sempre brutto/a.
c. ☐ a volte ti sembra **di** essere bello/a e a volte no.

II) Quando sei in compagnia dei tuoi amici:
a. ☐ credi **di** essere simpatico/a.
b. ☐ credi **di** essere antipatico/a.
c. ☐ credi **di** essere noioso/a.

III) Quando sogni ad occhi aperti:
a. ☐ immagini **di** viaggiare per paesi lontani.
b. ☐ immagini **di** sedurre con facilità uomini o donne.
c. ☐ immagini **di** avere molti soldi.

IV) Quando devi andare ad un appuntamento importante:
a. ☐ speri **di** ammalarti e **di** rinviare l'appuntamento.
b. ☐ speri **di** non arrivare tardi.
c. ☐ sei sicuro/a **di** fare bene.

V) Il tuo direttore ha capito che non hai detto la verità:
a. ☐ chiedi **di** essere perdonato/a e prometti **di** non farlo più.
b. ☐ dici e sostieni **di** aver detto la verità.
c. ☐ non dici niente e aspetti **di** vedere cosa farà il direttore.

VI) Con il tuo/la tua partner le cose non vanno bene:
a. ☐ ti lamenti **di** lavorare troppo e **di** essere stressato/a.
b. ☐ proponi **di** andare in pizzeria.
c. ☐ decidi **di** lasciare tutto e **di** partire.

VII) Hai vinto un premio a scuola:
a. ☐ ti vanti **di** essere il/la migliore.
b. ☐ confessi **di** essere stato/a aiutato/a dai tuoi compagni.
c. ☐ cerchi **di** capire perché sei stato/a premiato/a proprio tu.

TOTALE PUNTI

Soluzioni

I.	II.	III.	IV.	V.	VI.	VII.
a.7	a.7	a.5	a.3	a.5	a.3	a.7
b.3	b.5	b.7	b.5	b.7	b.5	b.3
c.5	c.3	c.3	c.7	c.3	c.7	c.5

Personalità

Più di 42 punti.

Gasato) Pensi proprio **di** essere un dio. Sei sicuro di te, probabilmente troppo sicuro. Potresti fare il manager o il politico, ma attento: la depressione può arrivare da un momento all'altro. Rilassati.

Tra 28 e 42 punti.

Stabile) Sei una persona equilibrata e questo spiega i tuoi successi nella vita. Ma anche i tuoi fallimenti. Non pensi che dovresti rischiare di più?

Meno di 28 punti.

Depresso) Probabilmente hai tendenze mistiche, puoi passare lunghi periodi di infelicità. Ti consiglio **di** sfruttare meglio le tue doti artistiche, fisiche e intellettuali. Rompi la routine.

22.2) In coppia. Racconta a un tuo compagno il risultato del test. Spiega se sei d'accordo o se ti sembra di avere una personalità diversa.

23) Completa con le preposizioni.

Giovanni crede ___ essere un dio. Naturalmente pensa ___ essere bellissimo e ___ non avere difetti. Sul lavoro è convinto ___ fare meglio di tutti. Anche quando andava a scuola diceva ___ prendere i voti migliori. Ma io credo ___ avergli trovato un difetto: è antipatico.

24) Scrivi tu la regola.

Molti verbi (vedi lista qui sotto) si usano nella forma VERBO + ☐ + INFINITO.　　➔　Tu **pensi** ☐ **essere** bello?

25) In coppia. Cercate di fare una frase con ogni verbo della lista. La frase dovrà avere la forma VERBO + DI + INFINITO. Se non conoscete il significato del verbo cercate sul vocabolario.

accorgersi	credere	essere convinto	parere	ritenere
ammettere	decidere	essere sicuro	pensare	sapere
aspettare	dire	fingere	premettere	scegliere
attendere	dispiacersi	finire	prevedere	scoprire
capire	escludere	negare	richiedere	
chiedere	essere certo	ottenere	riconoscere	

I paragoni

Le preposizioni usate quando si confrontano due cose o persone.

26.1) Leggi.

Guardiamo bene il disegno. Il più vecchio **della** famiglia è zio Enrico che ha quasi 70 anni. Il più alto **di** tutti è Giacomo. Mario è praticamente uguale **a** zio Enrico. Antonia e Federica sono le più giovani. Anche se sono gemelle non si assomigliano. Antonia è molto simile **a** Maria mentre Federica è diversa **da** tutti i suoi parenti.

MARIA   MARIO   FEDERICA   ANTONIA   ZIA MARTA   GIACOMO   ZIO ENRIC

26.2) Completa la tabella.

	è il più vecchio **della** famiglia	è diversa **da** tutti	è molto simile **a** Maria	è il più alto **di** tutti	è uguale **a** zio Enrico
zio Enrico	X				
Giacomo					
Mario					
Antonia					
Federica					

27) Collega le frasi come nell'esempio.

1. Giacomo è il più alto
2. Federica è diversa
3. Mario è uguale
4. La mia macchina è più bella
5. La mia macchina è uguale
6. La mia macchina è diversa

a. **alla** tua
b. **dalla** tua
c. **di** tutti
d. **della** tua
e. **da** Antonia
f. **a** zio Enrico

28) Leggi la regola.

Quando si confrontano delle persone o delle cose si usano le seguenti preposizioni:

"DI" (con le parole "più" o "meno" seguite da un aggettivo). → Mario è più basso **di** Giacomo.

"A" (quando le persone o le cose sono uguali o simili). → Mario è uguale **a** Lino.

"DA" (quando le persone o le cose sono diverse). → Antonia è diversa **da** Federica.

Di chi è?

Le preposizioni che indicano chi è il proprietario di qualcosa.

29) Gioco. Conosci i tuoi compagni? Uno studente esce dalla classe.
Gli altri mettono 4 o 5 oggetti (libri, penne, borse, ecc.) sul tavolo.
Quando lo studente rientra deve indovinare di chi sono gli oggetti.

30) Con un compagno, cerca di capire cosa significano queste frasi.

L'erba **del** vicino è sempre più verde. *(proverbio italiano)*
L'erba "voglio" non cresce neanche nel giardino **del** Re. *(proverbio italiano)*
Non desiderare la donna **d'**altri. *(la Bibbia)*
Non desiderare la roba **d'**altri. *(la Bibbia)*
La casa è **di** chi l'abita, il tempo è **dei** filosofi, la terra **di** chi lavora. *(canzone anarchica)*

31) Sai dire perché nelle frasi precedenti si usa la preposizione "DI"?

32) Scrivi tu la regola.

Per indicare la proprietà o il possesso di una cosa si usa la preposizione [ ].   →   La macchina [ ] Mario ha 4 air-bag.

33) In questo testo mancano 7 preposizioni che indicano la proprietà.
Inseriscile al posto giusto secondo l'ordine della lista.

di	dello	del	della	di	della	dell'

Di chi sono le automobili italiane?

Conoscete Alfa Romeo, Lancia, Ferrari e Fiat, i marchi delle automobili italiane?
Sapete chi sono?
Fino al 1981 l'Alfa Romeo era Stato italiano, poi è stata comprata dalla FIAT. Anche la Lancia dagli anni '70 è una società gruppo FIAT.
E la Ferrari? Dopo la morte di Enzo Ferrari, anche la "rossa" è diventata proprietà FIAT.
Ma chi è la FIAT? Fino al 2000 era famiglia Agnelli, ora invece è americana GM.

A chi la racconti?
La preposizione "A" e il complemento di termine.

34.1) Leggi questo brano e completalo.

Il mondo al contrario

C'era una volta un paese dove tutto andava bene e tutti erano felici.

In piazza, i cantanti cantavano delle belle canzoni ai passanti. I ricchi prestavano i loro soldi ai più poveri e chi aveva dava a chi non aveva. Gli insegnanti preparavano delle belle lezioni agli studenti e gli studenti facevano domande intelligenti ai loro professori. Le mamme pensavano ai bambini, le nonne raccontavano delle belle storie ai più piccoli e i genitori preparavano dei buoni piatti ai figli. Anche gli animali erano felici: i cani ubbidivano sempre agli uomini e i cavalli tiravano con forza i carri ai padroni. I postini portavano la posta agli abitanti, i commercianti vendevano felici pane, carne e frutta ai clienti, e i calzolai aggiustavano le scarpe a chi le aveva rotte.

Ma un giorno arrivò il cattivo mago del contrario e cambiò tutto.

Da quel giorno tutto andava male e tutti erano tristi.

I passanti cantavano delle brutte canzoni ai cantanti. I più poveri prestavano i loro soldi ai ricchi

_____

_____

_____

_____

_____

_____

Ma un giorno arrivò il buon mago del contrario e cambiò tutto…

34.2) Nel brano ci sono molte frasi con la preposizione "A", semplice o articolata. Cerca tutte le frasi con "A" e poi completa la tabella come nell'esempio.

soggetto + verbo	oggetto	termine
1. I cantanti cantavano	1.1 belle canzoni	1.2 ai passanti
2.	2.1	2.2
3.	3.1 •••••••••••••••	3.2
4.	4.1	4.2
5.	5.1	5.2
6.	6.1 •••••••••••••••	6.2
7.	7.1	7.2
8.	8.1	8.2
9.	9.1 •••••••••••••••	9.2
10.	10.1	10.2
11.	11.1	11.2
12.	12.1	12.2
13.	13.1	13.2

35) **Scrivi tu la regola.**

Alcuni verbi sono sempre seguiti dalla preposizione [   ].   →   Le mamme pensano [   ] bambini*.

* Il nome che segue è chiamato **complemento di termine**.

Lista dei principali verbi seguiti dal complemento di termine:					
cantare	dare	leggere	portare	regalare	servire
chiedere	dire	mandare	prendere	ripetere	spedire
consigliare	domandare	parlare	preparare	rispondere	spiegare
credere	fare	pensare	prestare	rubare	telefonare
cucinare	insegnare	piacere	raccontare	sembrare	vendere

36) **Guarda i disegni e rispondi alle domande.**

1. A chi sta pensando Antonia?   2. A chi ha scritto Marco?   3. A chi telefona Giacomo?

37) **Gianna ha regalato un libro a Claudio. Dopo qualche tempo il libro è tornato a Gianna. Sai ricostruire il percorso del libro?**

1. Gianna ha regalato un libro _____ Claudio.
2. Claudio ha prestato il libro _____ _____.
3. Federica ha venduto il libro _____ _____.
4. Alla fine Roberto ha spedito il libro _____ _____.

38) **In queste frasi c'è molte volte la preposizione "A". In due casi non introduce il complemento di termine: sai dire quali sono?**

1. Io credo ai fantasmi.
2. Tu rispondi a tua zia.
3. Sei stato a Napoli?
4. Giovanni ha telefonato ai suoi amici.
5. Antonia pensa sempre a Marco.
6. Ho affittato una casa a due piani.
7. Voglio bene a Grace.
8. A noi non sembra una bella idea partire adesso.

Quando cominci a studiare?
La forma verbo + "A" + infinito.

39.1) Leggi questo dialogo di due genitori sul futuro del figlio Andrea.

Papà   - Da domani Andrea **si mette** a lavorare.

Mamma - Non è vero. Lui voleva andare a lavorare, ma ora io l'ho **convinto** a continuare la scuola.

Papà   - Invece andrà a lavorare, perché la scuola insegna tante cose ma il lavoro **insegna** a vivere.

Mamma - Io ho **iniziato** a lavorare a 14 anni, per questo voglio che Andrea continui la scuola.

Papà   - Ma se Andrea non vuole, tu non puoi **costringerlo** a studiare.

Mamma - Io dico che anche tu devi **aiutare** Andrea a continuare la scuola.

Papà   - E io invece dico che lui domani **comincia** a lavorare.

Mamma - Non capisco perché **continui** a dire che Andrea deve lavorare, studiare è molto meglio.

39.2) Da quale preposizione sono seguiti i verbi sottolineati nel testo?

40) Scrivi tu la regola.

Alcuni verbi (vedi lista), quando sono seguiti dall'infinito, vogliono la preposizione "☐": → Comincia ☐ studiare.

aiutare	*cominciare*	*continuare*	*convincere*	*costringere*
iniziare	*invitare*	*insegnare*	*mettersi*	*obbligare*

41) Completa il brano con le preposizioni.

Maria   - Antonia, sono le cinque. Vuoi iniziare ___ studiare?

Antonia - Guarda che io ho cominciato ___ studiare due ore fa.

Maria   - Ma come? Sono due ore che guardi la televisione.

Antonia - Certo, il professore ci ha detto ___ studiare il linguaggio della televisione. Non sai che anche la TV insegna ___ capire il mondo?

Maria   - Ho capito, ho capito. Allora, mentre tu continui ___ guardare il telefilm, io esco ___ comprare il latte.

Antonia - Ciao a dopo. Comprami una cioccolata, ___ favore.

42) Lavoro di gruppo.

Si divide la classe in gruppi di tre o quattro persone. Ogni gruppo deve scrivere una piccola storia utilizzando il maggior numero di verbi seguiti da "A" + infinito. Alla fine ogni gruppo legge e corregge le storie degli altri. La classe sceglie la storia più bella.

Sono stata punta da un'ape
La preposizione "DA" con i verbi alla forma passiva.

43.1) Leggi.

Paola   - Pronto, Antonia? Sono Paola, come va?

Antonia - Bene e tu? Sei stata interrogata **dal** professore di matematica?

Paola   - Sì, ma non ho finito perché, mentre mi interrogava, il professore è stato chiamato **dal** direttore. L'interrogazione continua venerdì. E tu come stai?

Antonia - Non bene, sono stata punta **da** un'ape questa mattina...

Paola   - **Da** un'ape? E ti ha fatto male?

Antonia - Un po', ma niente di grave. Piuttosto, hai sentito di Giovanni?

Paola   - No. Cosa è successo?

Antonia - È stato investito **da** una macchina ieri notte. Adesso è all'ospedale. Ti va di andare a trovarlo?

Paola   - Certo. Povero Giovanni!

43.2) Collega le colonne.

1. Antonia	a. è stato chiamato **dal** direttore.
2. Il professore	b. è stata punta **da** un'ape.
3. Paola	c. è stato investito **da** una macchina.
4. Giovanni	d. è stata interrogata **dal** professore.

44) Metti queste frasi o alla forma attiva o alla forma passiva come nell'esempio.

forma passiva	forma attiva
Es.: Paola è stata interrogata dal professore di storia.	Il professore di storia ha interrogato Paola.
1. Il professore è stato chiamato **dal** direttore.	_____
2. Antonia è stata punta **da** un'ape.	_____
3. Giovanni è stato investito **da** una macchina.	_____
4. _____	Il dottore ha visitato Giovanni.
5. _____	La polizia ha fermato Maria.
6. _____	Il fornaio fa il pane.
7. _____	Il pizzaiolo fa la pizza.

45) Traduci nella tua lingua le frasi dell'esercizio precedente.
Nella tua lingua esiste una forma passiva e una forma attiva?

46) **Scrivi tu la regola.**

La forma passiva del verbo si rende in italiano
con il verbo essere + il participio passato, → Oggi sono stato visitato ☐ dottore.
seguito dalla preposizione ☐ .

47) **Leggi e completa il testo con le preposizioni.**

Quanto bevono gli italiani?

Nel '99, _____ ogni italiano sono stati bevuti 23 litri di vino. Gli italiani bevono meno dei
francesi (i primi in Europa), che bevono 34 litri di vino a testa. Quest'anno, il vino è stato supe-
rato _____ birra. Ogni italiano ha bevuto 27,5 litri di birra, ma si è accontentato di soli 2 litri
di super alcolici come whisky, vodka o grappa. Il 35% degli alcolici è stato venduto _____ bar
e _____ ristoranti, il 4% è stato prodotto direttamente _____ consumatori. Il resto è entrato
in commercio grazie ai supermercati e ai normali negozi.

Tabelle riassuntive

Tabella riassuntiva della preposizione "DI"

FUNZIONI	ESEMPI	Cap.
• Indicare la città da cui si viene con il verbo "essere".	*Io sono di Milano.*	2
• Indicare il posto dove qualcuno va o sta con "qui","qua","là" e "lì".	*Marco è di là.*	3
• Indicare l'età di una persona.	*Giacomo è un ragazzo di 19 anni.*	4
• Indicare il momento preciso di un fatto.	*Di sera guardo la tv.*	4
• Introdurre la causa con espressioni che indicano lo stato d'animo.	*Muoio di freddo.*	5
• Indicare gli argomenti di cui si parla.	*Aldo parla molto di politica.*	8
• Indicare chi è l'autore.	*Mi piace molto la musica di Verdi.*	8
• Spiegare la materia con cui sono fatti gli oggetti.	*Ho comprato un orologio d'oro.*	8
• Indicare e (specificare) un oggetto o una persona che fa parte di un gruppo più grande.	*I mobili del mio ufficio sono vecchi.*	8
• Indicare la quantità.	*Mi dà del pane, per favore?*	8
• Introdurre i verbi all'infinito nella forma "verbo"+"di"+"infinito".	*Tu pensi di essere bello?*	8
• Confrontare 2 cose o persone con le parole "più" o "meno".	*Mario è più basso di Giacomo.*	8
• Indicare la proprietà di una cosa.	*La macchina di Mario ha 4 air-bag.*	8

Tabella riassuntiva della preposizione "A"

FUNZIONI	ESEMPI	Cap.
• Indicare la città dove qualcuno è o va.	*Luca va a Roma.*	2
• Indicare il posto dove qualcuno è o va con i nomi della lista di pag. 27.	*Mario è (va) al mare.*	3
• Indicare il posto dove qualcuno è o va con i verbi all'infinito.	*Vado a giocare a pallone.*	3
• Indicare lo spazio che manca per arriverare in un posto.	*Roma è a 25 Km. da qui.*	3
• Indicare il luogo dopo le parole "vicino","davanti","dietro" e "sopra".	*Marco è davanti a me.*	3
• Indicare il momento preciso di un fatto davanti ai nomi dei giorni importanti.	*A Natale vado da mia zia.*	4
• Indicare la fine di un periodo di tempo.	*Il bar è chiuso dalle 12 alle 14.*	4
• Indicare l'età di una persona.	*A 6 anni Luca è andato a scuola.*	4
• Indicare l'ora esatta.	*Esco alle sette.*	4
• Indicare il fine con alcuni verbi (vedi lista pag. 56) seguiti da un altro verbo all'infinito.	*Esco a comprare il giornale.*	5
• Introdurre il mezzo di trasporto con le parole "cavallo" e "piedi".	*Vado a piedi.*	6
• Spiegare in che modo è qualcosa o qualcuno.	*La casa di Maria è a due piani.*	7
• Unire due parole per creare una parola nuova.	*Barca a vela.*	7
• Confrontare 2 cose o persone simili o uguali.	*Mario è uguale a Lino.*	8
• Introdurre il complemento di termine.	*Le mamme pensano ai bambini.*	8
• Introdurre dopo i verbi della lista a pag. 100 i verbi all'infinito.	*Comincia a studiare.*	8

Tabella riassuntiva della preposizione "DA"

FUNZIONI	ESEMPI	Cap.
• Indicare il posto di partenza o di origine.	*Vengo da Milano.*	2
• Indicare la persona da cui si va (o si è).	*Questa sera dormo da te.*	2
• Introdurre il luogo attraverso cui si passa.	*Federica è passata dalla camera.*	3
• Indicare un periodo di tempo che va dal passato al momento presente.	*Abito a Roma da 15 anni. (e sto ancora abitando a Roma).*	4
• Indicare l'inizio di un periodo di tempo.	*Il bar è chiuso dalle 12 alle 14.*	3
• Indicare le età di una persona con le parole "giovane", "vecchio", "bambino","ragazzo", ecc.	*Maria da ragazza ha vissuto a Firenze.*	4
• Introdurre la causa con molte espressioni che indicano lo stato d'animo.	*Grido dalla gioia.*	5
• Spiegare in che modo è qualcosa o qualcuno.	*Un ragazzo dai capelli neri.*	7
• Unire due parole per creare una parola nuova.	*Macchina da corsa.*	7
• Confrontare 2 cose o persone diverse.	*Antonia è diversa da Federica.*	8
• Creare la forma passiva.	*Antonia è stata punta da un'ape.*	8

Tabella riassuntiva della preposizione "IN"

FUNZIONI	ESEMPI	Cap.
• Indicare il posto dove si va o si è quando il luogo è una località geografica che non è una città.	*Luca va in Francia.*	2
• Indicare il posto dove qualcuno è o va con i nomi della lista di pag. 27.	*Mario è (va) in casa.*	3
• Indicare il momento preciso di un fatto.	*Sono nato nel 1960.*	4
• Indicare il periodo di tempo in cui si compie un'azione.	*Il treno arriva in due ore.*	4
• Introdurre il mezzo di trasporto.	*Vado in macchina.*	6
• Spiegare la materia con cui sono fatti gli oggetti.	*Questo mobile è in ciliegio.*	8

Tabella riassuntiva della preposizione "CON"

FUNZIONI	ESEMPI	Cap.
• Introdurre il mezzo di trasporto.	*Vado con la macchina.*	6
• Introdurre i mezzi che usiamo come strumento di comunicazione.	*Ho mandato il testo con il fax.*	6
• Indicare i mezzi che usiamo per lavorare o per fare le cose di tutti i giorni.	*Lavoro con il computer.*	6
• Indicare le persone o le cose che stanno insieme.	*Io abito con Grace.*	6
• Spiegare il modo di essere di qualcosa o di qualcuno.	*La casa ha un giardino con fiori e con piante di tutti i tipi.*	7

Tabella riassuntiva della preposizione "SU"

FUNZIONI	ESEMPI	Cap.
• Indicare, in alcuni casi particolari, il posto dove si è o si va.	Sono seduto sulla sedia.	2
• Introdurre, in alcuni casi particolari, gli argomentidi cui si parla.	Ho letto un libro sulla storia antica.	8

Tabella riassuntiva della preposizione "PER"

FUNZIONI	ESEMPI	Cap.
• Indicare, in alcuni casi particolari, il posto dove si è o si va.	Sono seduto per terra.	3
• Introdurre il luogo attraverso il quale si passa.	Federica è passata per la camerea	3
• Indicare per quanto tempo il soggetto continua a compiere un'azione.	Ho abitato a Roma per 15 anni (ho continuato ad abitare a Roma per 15 anni).	4
• Indicare il fine di un'azione.	Lavoro per vivere.	5
• Introdurre la causa di un'azione.	Mario è a letto per l'influenza.	5
• Introdurre la causa con molte espressioni che indicano lo stato d'animo.	Grido per la gioia.	5
• Indicare i mezzi che usiamo come strumento per comunicare.	Ho mandato il testo per fax.	6

Tabella riassuntiva della preposizione "TRA/FRA"

FUNZIONI	ESEMPI	Cap.
• Indicare lo spazio che manca per arrivare in un posto.	Fra 10 km. siamo arrivati.	3
• Indicare l'inizio di un periodo di tempo entro il quale si svolge un'azione.	Mario arriverà tra le 5 e le 6.	4
• Indicare dopo quanto tempo avviene un'azione.	Esco tra un'ora.	4

Soluzioni degli esercizi

Capitolo 1

2.1) di; Per; a; su; in; tra; Da; a; da; a; in; con; con.

2.2) di; Per; su; in; tra; Da; a; da; a; in; con; con.

3) A; DA; CON;SU;PER;FRA.

4) 2-b; 3-g; 4-f; 5-c; 6-e; 7-a.

6) la; la; il; lo; la; la; i; l'; gli.

7.2) Alla; dallo; Dell'; Sulla; Nel; della; con la.

7.3) dallo (da+lo); del (di+il); dell' (di+l'); Nella (in+la); sulla (su+la); agli (a+gli); nel (in+il), della (di+la); con la (con+la).

8) sulla; dalla; Nel; alle.

9) dello; dei; degli; dell';delle; al; all'; agli; alla; all'; dallo; dall'; dai; dalla; dalle; nel; nell'; nei; negli; nell'; sul; sull'; sui; sugli; sull'; sulle; per lo; per i; per gli; per la; per l'; con il; con lo; con l'; con gli; con la; con le; tra il; tra i; tra gli; tra l'; tra le; fra il; fra lo; fra l'; fra i; fra gli; fra la; fra l'; fra le.

10) al; con il; al; del; nel; per il; alla; al; sulla.

11) con i; degli; sui; ai; con le; dagli; sugli, dei.

12)

13.1) dell'; sull'; nell'; con l'; dell'; dell'; all'.

13.2) dell'; all'; dall', nell'; con l'; su l'; per l'; tra l'; fra l'.

14.1) 1. sugli aerei dell'Alitalia; 2. degli amori di Diana; 3. sugli alberi; a. delle avventure; b. nelle acque dei fiumi; c. per le anime dei morti.

14.2 A destra le preposizioni introducono nomi femminili e a sinistra nomi maschili.

15) 2-d; 3-g; 4-f; 5- a; 6-c; 7-b.

16) dell'; dello; nel; all'; al; del; dell'.

17) Sulla; Sulle; nel; nei; allo; negli; dell'; degli.

Capitolo 2

1.1) a; a; a; c; b; c.

1.2) il posto di partenza o di origine di qualcuno o qualcosa.

2) DA; da.

3) da; dall'; dalla; dal; dal; dal.

4) 1. ~~di~~ → dalla; 4. ~~di~~ → dalla.

7.1) di; di; sono di New York; sono di Brasilia; siete di Parigi?; di.

7.2) Il verbo essere.

7.3) La preposizione "Di".

8) DI; di.

9) da; in; di; Da; di; Di; da; da; di; da.

11) A sinistra il "luogo" è una città, a destra un Paese o un Continente.

12) A; a; a; IN, in; in.

13) a; in; in; in; a; In; in; In; in; in; A; a; a; A.

14) 1. in - g; 2. in -h; 3. a - b; 4. da - a; 5. a - k; 6. a - f; 7. negli - i; 8. in - d; 9. da - e; 10. a - j; 11. in - c.

16.2) Da Francesca; Da Marco; Da Marco.

16.3) Da.

17) DA; da; da.

18) Da; Dal; dal.

19) 1.: dal dentista; dal fornaio; dal tabaccaio; dal farmacista; da Mario; da mia nonna; dal meccanico. 2. : in città; in Italia; in Germania. 3.: a Roma; a Berlino.

20) a; in; da; di; in; a; di; da; da.

21) 1. In America; In Messico; Dal mio amico; A Oslo; Da Caterina; 2. In Brasile; Dal prete; Da Rosa; A Roma.

22) Da; Da, in; Da.

23) 2. ~~Di~~ → Dall'; 4. ~~In~~ → Da; 8. ~~a~~ → da.

Capitolo 3

1) DA; da; DI; di;

2) A; a; a; IN; in; in.

3) DA; da; da.

4.2) a; a; A; in; a; in; a; in; da; in.

4.3) in; a; In; a; in; da; in.

6) in; al; da; In (Nella); Al (Nel); Da; In (Sull'); Al (Nel); Dal.

7) In; Al; Dal; Nella; All'; Dal; in; a; da.

8) in; a; da; in; al; da; in; a; da.

9) In discoteca; In negozio (Al mercato); In Francia; Al bar; A Roma; Al mare; A letto; Dal meccanico; Dal fornaio.

10) 1. In negozio; In banca; In piazza; Al super-marcato. 2. In ospedale; In trattoria; Al parco; In paese; 3. In fabbrica; A scuola; In ufficio; In città; Al mercato.

11) in; in; in; all'; in.

12) al; in; in; in; all'; a; in; in; in; al; in; dal; in (a); in; da; alla.

13) Marco e Patrizia sono a pranzo, cena, casa; Marco e Patrizia sono in bagno, camera, sala, cucina, casa.

14) IN; ALLA; AL; DAL; DAI; ALLA; AL; DA.

16) in; all'; in; a; in; in (a).

20) La preposizione "A".

21) A; a.

22) in; a; a; A; a; a; a; al; dal; a.

23) in; al.

26) a; tra; sulla; a (in); per (in); da; in.

28) di; in; in; di; Di; In; di; per; per; in (a); in; dal (con il).

30) da (per); da (per); da; per; dal; al; per; in; di; a; al; a; per.

32) A (Fra) 260 km; A (Fra) 220 km; A (Fra) 380 km; Fra 660 km; Fra 180 km.

Capitolo 4

1.2) Nel 1941; Nel 1943; Alla fine della guer-ra; Per due anni; In inverno; Nei mesi di vacanza; d'estate; Di giorno; Di sera; In 4

anni; Tra il '65 e il '67 (Dal '65 ‿ anni.

2) a - 3; b - 1; c - 2.

3) il momento preciso (1; 2; 4; 5; 7; 8; 15); l'ini-zio e la fine(6; 10; 14); la quantità (3; 9; 11; 12; 13).

6) 1; 2; 1.

7) IN; nel.

8) 2; 5.

9) a.

10) PER; per.

12) di Lunedì; di notte; a Natale; A Natale; per le vacanze; a Capodanno; A Capodanno.

13) A; DI; DI.

14) di; di; di; di; a.

15) A; A; DI; Di.

16) dal; al; Dal; al; dalle; alle; dal; al; tra le; e le; dalle; alle.

18) 1; 3; 2; 1; 1; 2; 2; 3; 2.

22) Ieri sera ero stanchissimo e ho dormito per 12 ore. Io invece non riuscivo a dormire e ho letto per tutta la notte.

23) per; in; per; per; per; in; per; da.

24) tra il; al; per; in; nel; in; per; dal; al; in; nel.

25) da; in; per; da; in; per; da; in; per.

26) con quattro anni ➔ per 4 anni;

in 5 anni ➔ per 5 anni;

nei 4 anni ➔ per 4 anni.

27) nel; Nel; per; d' (in); d' (in); Di; di; in; tra il; da.

30.2) Un ragazzo di 20 anni; A 6 anni; A 8 anni; A 13 anni; A 17 anni.

31) Le preposizioni "A" e "DI".

32) DI; di; A; A.

33) di; a; a; A; di.

34) L'uomo.

37) DA; da.

39) alle; dalle; alle; alle; tra le; A.

40) A; alle.

41.2) Mancano 5 minuti alle 3; Dalle 3 alle 4; Fra (tra) un'ora.

42) dalle; alle; dalla; alla; dalle (tra/fra le); alle (e le).

43) Fra (Tra) un mese; Fra (Tra) 2 giorni; Fra(Tra) 5 minuti; Fra (Tra) 4 ore; Fra(Tra) un po'.

44) Fra(Tra); Fra(Tra); Fra(Tra).

45) FRA (TRA); fra (tra).

Capitolo 5

1) Per dormire vado a letto; Per lavorare vado in ufficio; Per studiare vado a scuola; Per mangiare vado in cucina; Per fare la spesa vado al mercato.

4) Vado al mare per fare il bagno; I bambini giocano per divertirsi; Perché mangi poco?; vedere un film; Perché guardi la TV?; vivere; Perché lavori?

5) il legno; l'albero; il frutto; un fiore; un fiore.

6) PER; per.

7) Per dimenticare; Per parlare con Dio; Per (A) parlare con gli italiani; Per non ingrassare; Per chiamare la mamma; Per fare l'esame; Per visitare New York.

8.2) Per; a; a; a; a.

11) Solo la preposizione "PER" (5; 7); La preposizione "A" o la preposizione "PER" (1; 2; 3; 4; 6).

12) a (in); a (per); a; a (per); a (per); a; a.

13) Da; a; Per; a (in); a (per); a (per); a (in); a (per); da; a.

14) Per; in; al; a (per); allo; a (per); Per; dalla; alla; In (D'); per; Per; da; a; per (da); alla; per (a); Per.

15) 1- b; 2 - c; 3 - a.

16.2) Per la tensione; Per l'influenza; Per il traffico.

18) PER; per.

19) "Per" introduce il fine (3; 5); "Per" introduce la causa (4; 6; 7).

20.1) Bologna; Venezia; Roma; Siena; Napoli.

20.2) Per le strade sull'acqua; Per l'allegria; Per il Palio; Per la sua storia.

21.2) 1 - a; 2 - b ; 3 - f; 4 - c; 5 - d; 6 - e.

21.3) Muoio **di** freddo; tremavo **dalla** paura; rossa **dalla** vergogna; scoppiavo **dal** caldo; morivo **dal** caldo; impazzivo **dalla** tensione; ho gridato **di** felicità; stavo diventando pazza **per** la disperazione.

24) di; per la; per la; per; per; per il ; per la.

25) a; dal; in; di; per lo; da; di; nel; per; nel. Causa (3; 6; 8; 10). Fine (2). Luogo (4; 5; 7). Tempo (9; 11).

Capitolo 6

2.2) 2 - e; 3 - f; 4 - g; 5 - a; 6 - b; 7 - c.

3) a; a; in (con la); in (con il); in (con l'); in (con la); con le.

4) Le preposizioni "IN", "CON", "A".

5) IN; in; CON; con la; A; a; a.

7) con; con.

8) 2 - e; 3 - f; 4 - a; 5 - c; 6 - d.

9) La preposizione "CON".

10) CON; con.

11) lo spazzolino; con il sapone; con l'asciugamani; con il fon; con il pettine; con il rasoio; con la moka; con l'autobus; con il computer; con la bicicletta; con la carta di credito.

13) spedisco i pacchi per corriere; invio i messaggi per fax.

15) per ; con; per; con; per; per; con.

16) "PER" indica il luogo (2; 4). "PER" indica il fine o la causa (3; 5; 6). "PER" indica il mezzo di comunicazione (7; 8).

18) La preposizione "CON".

19) CON; con.

20) a; in (con la); con; al; con; con; con; con; in; con; Con; al; Con; in; Con; con.

21) vado **a** lavorare **in** autobus; andare **a** piedi; che **per** studiare; **in** Germania; vicino **a** Berlino; Lei è **di** Roma; vengo **da** Napoli; parlare **con** il signor Andreoli; Vado **a** Barcellona;

Vai **in** (**con l'**) aereo; Vado **in** (**con la**) macchina.

22) per; per (con il); in (alla); per.

23) 2 - a; 3 - g; 4 - a; 5 - b; 6 - f; 7 - b; 8 - c; 9 - e; 10 - d.

Capitolo 7

1.2) 2 - a; 3 - d; 4 - c.

1.3) Le preposizioni "CON"; "DA" e "A".

2) CON; con; con; DA; dall'; A; a.

3) dalle; dal; dai; dagli.

5) CON; con.

6) con coraggio; con attenzione; con spirito sportivo; con rispetto.

7) dagli/con gli/ che ha gli occhi neri; dai/con i/ che ha i pantaloni verdi; dai/con i/ che ha i capelli biondi; dal/con il/ che ha il motore molto potente; da/con / che ha 50 posti; dagli/con gli/ che ha gli occhi a mandorla; dalla/con la/ che ha la pelle nera.

8) dalle gambe corte; dagli occhi grandi; dalle orecchie piccole; dalla coda nera.

9) DA; dai.

10) dagli occhi neri; dall'accento napoletano; dalla pelle chiara; dal carattere dolce.

11) dai; con la; dalla; dall'.

12) come un mafioso; come una signora.

13) Da bravo rgazzo; Da musicista rock; Da riccone; Da pazzo; Da cow boy.

14) DA; da.

16.2) da gustare con attenzione; da mangiare in un boccone; momenti da ricordare; da dimenticare; da ridere; da piangere.

17) Un film da vedere; Un libro da leggere; Un bambino da amare; Una storia da ridere; Una storia da dimenticare.

18) DA; da.

20) A; a.

21) a strisce blu, bianche e rosse; a strisce nere, gialle e rosse; a stelle e strisce; a strisce bian-che e gialle.

22.1) alla; alla;

23) ALLA; alla.

24) alla marinara; alla Lenin; alla Hemingway.

25) alla; alla.

26) alla fiorentina; alla genovese; alla milanese.

27) Indica un piatto tipico.

28) ALLA; alla; alla; alla; alla.

30) A; al.

31) Tagliatelle alla bolognese; Spaghetti alle vongole; Carne al sugo di pomodoro; Pesce al brodo di fagioli; Carciofi alla romana; Patate al burro; Insalata all'aceto balsamico; Torta alle mele; Torta al cioccolato; Gelato alla crema.

35) A; DA ; a; da.

36) **con i** capelli lunghi; **con** pantaloni di cotone **a** strisce.

37) **a** macchie grigie; **dalla** coda; **a** macchie rosa.

38) **a** gas; **a** gas; **a** benzina.

39) "CON" indica il modo (3; 4; 7);."CON" vuol dire insieme (5; 6);."CON" indica il mezzo (1; 2).

40.2) "DA" indica il modo (una storia **da** dimenticare; cose veramente **da** stupidi; **da** sogno; una Kawasaki **da** strada; tipo mediterraneo **dagli** occhi neri; una persona **dalla** fantasia infinita)."DA" indica il luogo(vieni **dal** Nord; Lavoravo **da** un gioielliere). "DA" indica il tempo (**Da** quanto tempo; **Da** 4 anni; **Da** giovani; **Da** allora).

41) "A" vuol dire"COME" (1; 6)."A" vuol dire"CON" (2; 3; 5)."A" vuol dire "FATTO COME A" (4; 7).

42) da; da; da; da; con; a; con le; da;da; da; dai; con; a; con le; da; da; a; a; da; da.

Capitolo 8

1.2) 2 - c; 3 - b; 4 - e; 5 - a.

3) DI; di.

4) Di cosa avete parlato nella riunione con il direttore? Di molte cose: dei telefoni, delle vendite dell'ultimo mese e della nuova segretaria.

6) 2 - f; 3 - a; 4 - e; 5 - c; 6 - d.

7) DI; di.

9) Argomento (4; 5; 9). Autore (3; 6; 7; 8; 10).

10) 2 - e; 3 - d; 4 - c; 5 - f; 6 - a; 7 - b.

11) La preposizione "DI".

12) DI; d'.

14) La preposizione "DI".

15) DI; del.

20) DI; del.

21) dei; da; delle; da; dei; da; dei; da; del; del; delle; da.

23) di; di; di; di; di; di.

24) DI; di.

26.2) Giacomo è il più alto **di** tutti; Mario è uguale **a** zio Enrico; Antonia è molto simile **a** Maria; Federica è diversa **da** tutti.

27) 2 - e; 3 - f; 4 - d; 5 - a; 6 - b.

31) La preposizione "DI" indica il possesso o la proprietà.

32) DI; di.

33) Sapete **di** chi sono?; era **dello** Stato; una società **del** gruppo; proprietà **della** FIAT; Ma **di** chi è; era **della** famiglia; è **dell'**americana GM.

34.1) Una possibile continuazione è: "e chi non aveva dava a chi aveva. Gli insegnanti preparavano delle brutte lezioni agli studenti e gli studenti facevano domande stupide ai loro professori. Le mamme non pensavano ai bambini, le nonne raccontavano delle brutte storie ai più piccoli e i genitori preparavano dei cattivi piatti ai figli. Anche gli animali erano tristi: gli uomini ubbidivano sempre ai cani e i padroni tiravano con forza i carri ai cavalli. I postini non portavano la posta agli abitanti, i commercianti non vendevano pane, carne e frutta ai clienti e i calzolai non aggiustavano le scarpe a chi le aveva rotte.

Ma un giorno arrivò il buon mago del contrario e cambiò tutto.

Da quel giorno tutto andava bene e tutti erano felici".

34.2) I ricchi prestavano / i loro soldi/ ai più poveri;

chi aveva dava/ ********/ a chi non aveva.

Gli insegnanti preparavano/ delle belle lezioni/ agli studenti.

gli studenti facevano/ domande intelligenti/ ai loro professori.

Le mamme pensavano/ ********/ ai bambini.

le nonne raccontavano/ delle belle storie/ ai più piccoli.

i genitori preparavano/ dei buoni piatti/ ai figli.

i cani ubbidivano/ ************/ sempre agli uomini.

i cavalli tiravano/ i carri / ai padroni.

I postini portavano/ la posta / agli abitanti.

i commercianti vendevano / pane, carne e frutta /ai clienti.

I calzolai aggiustavano/ le scarpe / a chi le aveva rotte.

35) A; ai.

36) A Marco; A Antonia; A Antonia.

37) a; a Federica; a Roberto; a Gianna.

38) 3; 6.

39.2) Dalla preposizione "A".

40) A; a.

41) a; a; di; a; a; a (per); per.

43.2) 2 - a; 3 - d; 4 - c.

44) Il direttore ha chiamato il professore; Un'ape ha punto Antonia; Una macchina ha investito Giovanni; Giovanni è stato visitato **dal** dottore; Maria è stata fermata **dalla** polizia; Il pane è fatto **dal** fornaio; La pizza è fatta **dal** pizzaiolo.

46) DA; dal.

47) da; dalla; dai; dai; dai.

Indice